名古屋・青春・時代

名古屋タイムズアーカイブス委員会

長坂英生

Hideo Nagasaka

SAKURAYAMA SHA

金城学院高校のクリスマスキャロル（平成14.12.14）
名古屋栄の旧中日ビルで行われた同校グリークラブの恒例イベント。師走の風物詩だった。

金城学院高校のクリスマスキャロル　(平成13.12.15)
名古屋栄の旧中日ビルで。同ビルの1、2階間のエスカレーターを止めて、
同高グリークラブの約50人が「ホワイト・クリスマス」など10曲を熱唱。

金城学院高校のクリスマスキャロル　(平成12.12.16)
名古屋栄の旧中日ビルで。
それまで金城学院大学生が行っていたが、この年初めて高校生が登場した。

取り壊される愛知県立旭丘高校の校舎　（平成12.12.28）
名古屋市東区の同校旧校舎は昭和13年竣工。
新築か文化遺産の保存かで裁判沙汰になったが、この日取り壊しが始まった。

ブックオフで品定め　(平成10.4.15)
名古屋市中川区の「ブックオフ」で品定めする高校生。
新スタイルの古本店として全国で店舗展開。人気を集めた。

上：ミニチュア制服　(平成13.3.14)
名古屋三越栄本店で人気を集めた「マイプチ」商法。
思い出の制服を持ち込むとミニチュアサイズで再現。地球環境にやさしいと推奨する学校も。

下：名古屋市立名古屋商業高校　(平成10.3.13)
名古屋市千種区の同校舎は平成8年の市都市景観賞に選出。
門塀のない開放的な空間にモニュメントを配したことなどが評価された。

上：旧愛知県立東山工業高校　（平成15.6）
名古屋市千種区の同校は平成23年に閉校。県立愛知工業高校と統合し
平成28年に県立愛知総合工科高校として同所で再出発。

下：愛知県立田口高校稲武校舎、最後の卒業式　（平成20.3.1）
愛知県稲武地区（現・豊田市）の同校は昭和24年設立。
最盛期には生徒150人がいた。最後の卒業式には7人の卒業生が臨んだ。

上：甲子園愛知県大会、初のナゴヤドーム決戦 （平成17.7）
堂上直倫（元中日）らを擁する愛工大名電が決勝で豊田大谷を破り甲子園へ。
歓喜する愛工大名電ナイン。

下：中京大学附属中京高校、全国へ （平成18.12.2）
全国高校サッカー愛知県大会決勝（名古屋市瑞穂陸上競技場）は、
のちの国内外のプロチームで活躍する伊藤翔率いる中京大中京が東邦を破り優勝。

はじめに

青春は、人生の中でもっとも生命が輝く季節だ。本書は、かつて存在した夕刊紙「名古屋タイムズ」(名タイ)の報道写真から、愛知県の中学、高校生の生き生きとした姿・表情を集めた写真集である。

名タイは終戦翌年の1946(昭和21)年5月に名古屋の地に産声を上げた。戦前の新聞が軍部の批判を避け、戦争の片棒を担いだことを憂えて、そうした過ちを犯さないメディアとなることを誓って創刊した。

戦争では子どもたちが犠牲を強いられる。終戦直後の名古屋のちまたにも多くの戦争遺児がいた。保護者がいる子も、いつも腹をすかせていた。名タイは創刊当初から「社会の宝」である少年少女や若者を励ます事業を展開した。

1948(昭和23)年3月、紙不足で教科書が足りないことに義憤を起こした名タイは小学3年の算数の教科書3ページ分を紙面に掲載し、「これを最寄りの小学校へ寄贈して」と読者に訴えた。翌年6月には乳幼児の体位向上を目指して「名古屋赤ちゃんコンクール」を立ち上げ。その後も、各方面で活躍する名古屋の小中学生を表彰する「名タイ少年少女賞」、「女子高生の卒業を祝う会」など子どもの成長に合わせた事業を次々に行った。

紙面においても子どもや若者たちの日常をきめ細かく取材した。本書は、創刊以来の膨大な報道写真ネガから厳選して新たにプリントした。入学、卒業、入試、合格といった行事のほか、スポーツイベントやファッションなど多角的に取り上げた。

掲載写真は1948(昭和23)年~2008(平成20)年の60年にわたって撮影されたものである。青春は時代と無縁ではいられない。だが、青春特有の輝きは不変である。そして若者の生命の躍動は見るものを元気にさせる。

読者が本書をご覧になって少しでもポジティブな気分になっていただければ幸いである。

名古屋タイムズアーカイブス委員会代表　長坂英生

CONTENTS

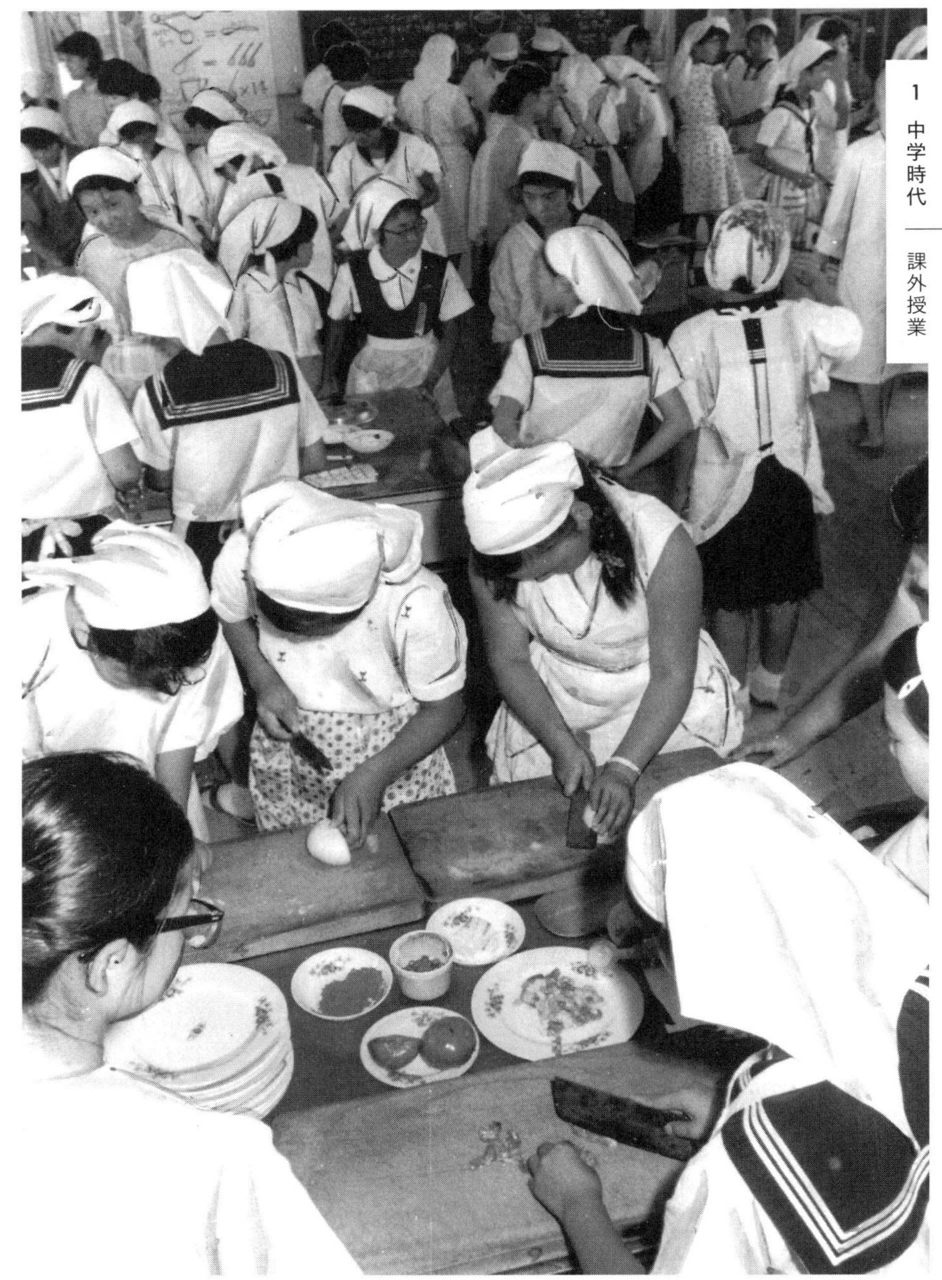

女子中学生がサマースクール　(昭和36.7.28)

名古屋市瑞穂区の名古屋女学院短大（現・名古屋女子大学短期大学部）家庭科研究サークルで行われた女子中学生のためのサマースクール。市内15校の生徒150人が料理や裁縫を楽しんだ。

セスナ機で大空旅行　(昭和30.9.20)

「航空記念日」(現・空の日) のこの日、名古屋市の城山中学と桜丘中学の4人が中日本航空のセスナ機で市内上空を旅した。

太陽熱で炊事　（昭和36.2.18）

名古屋市港区の港南中学で行われた太陽熱利用炊事器の実験。お湯を沸かし、茶を楽しんだ。

少年少女パトロール隊　(昭和42.8.14)

名古屋市南区の小中学生が夏休みに学区内の危険な場所をパトロールする自主組織。子どもの水難事故が絶えなかったことから昭和35年に誕生。写真は本城中学のパトロール隊。写真上は担当教師と打合せする隊員たち。写真下は、そろいの帽子をかぶり、天白川で遊ぶ子どもたちを見守る隊員たち。

暑い暑い　(昭和47.4.18)

名古屋市千種区の東山公園で遊ぶ中学生ら。この日の最高気温は約25度。
一足早い夏の到来に上着を脱いで大はしゃぎ。

「浜辺の歌」を大合唱 （昭和41.9.5）

名古屋市中村区の黄金中学は当時、毎月「今月の歌」を全校生徒で合唱。この日は器楽の生徒をはさんで9月の歌「浜辺の歌」を練習した。

テナーサックスの青春　（昭和44.2）

名古屋市中川区の昭和橋中学ブラスバンド部は当時、中部地方の実力校。
写真の女生徒はテナーサックス担当でパートリーダーとして活躍。

「こまどり号」登場　(昭和35.4.20)

国鉄(現・JR)が東海3県の修学旅行専用車「こまどり号」を初運行。名古屋駅で、名古屋市の一色、天白、富田、長島の4中学889人が乗り込み、東京に向かった。

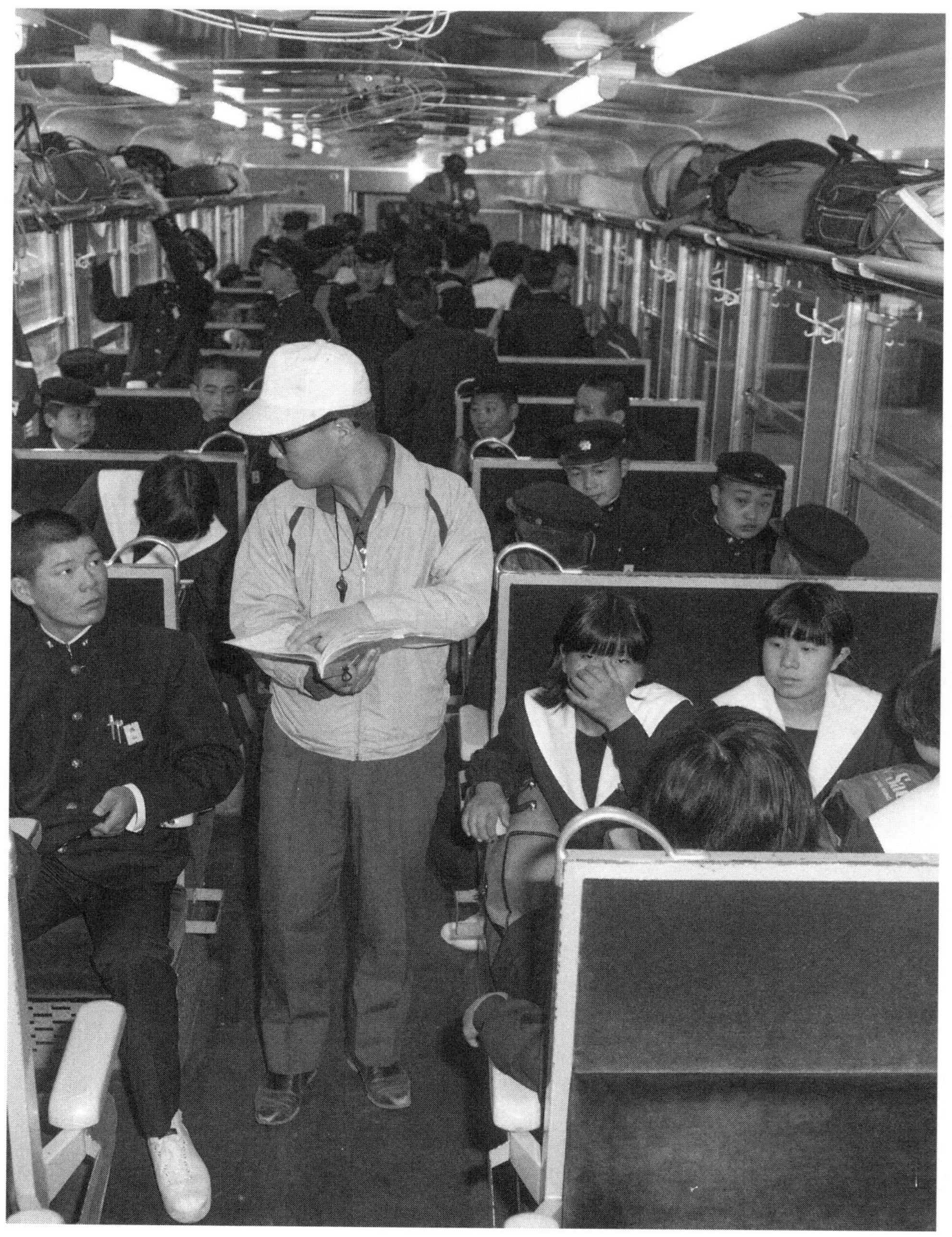

夢乗せて　(昭和44.4.15)

恒例の修学旅行専用車「こまどり号」の運行が始まったこの日は名古屋市の守山中学、本城中学などの生徒936人が名古屋から東京、江の島方面に出発した。

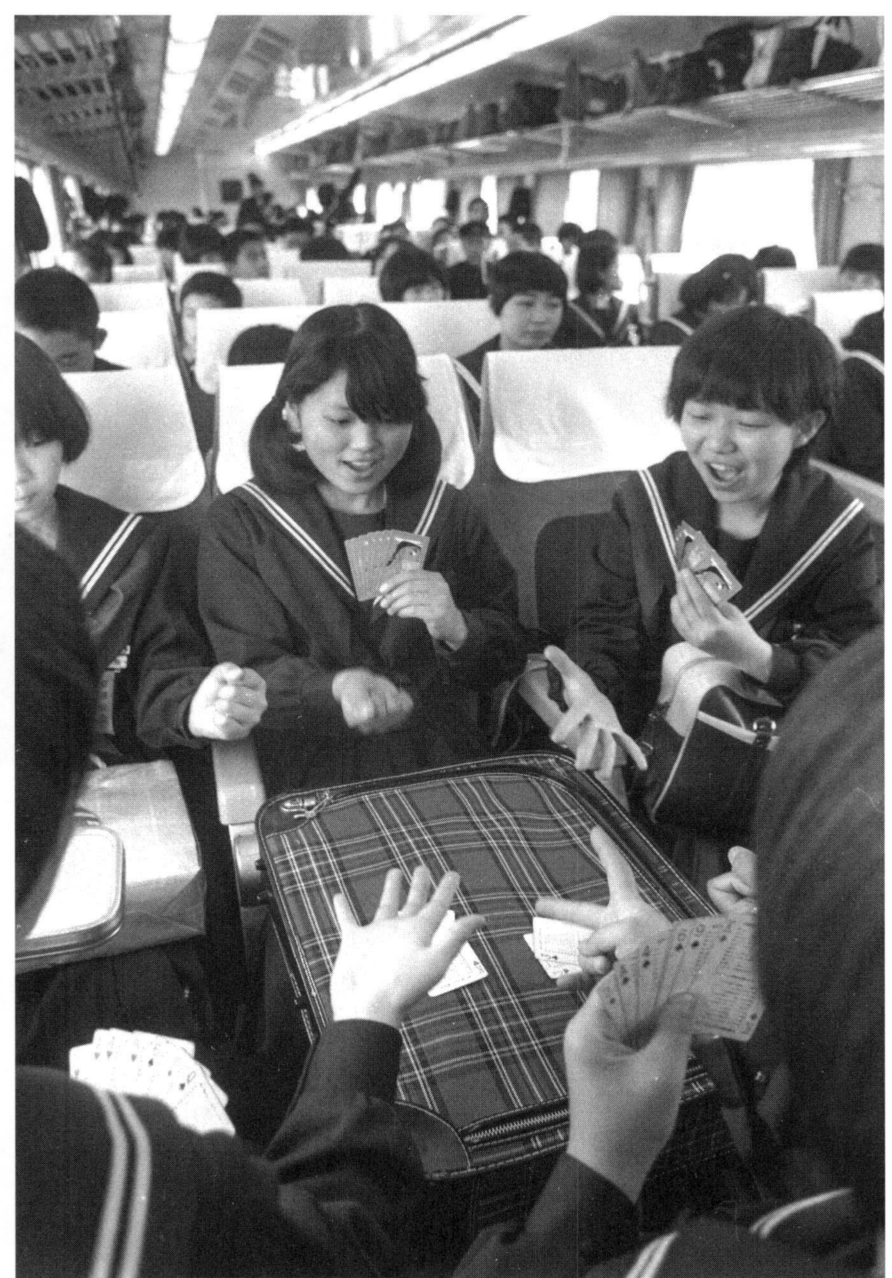

新幹線でGO!　(昭和47.4.16)

国鉄（現・JR）名古屋駅を出発した新幹線車内でさっそくトランプに興じる修学旅行の生徒たち。東海地方では昭和46年から新幹線による修学旅行が始まった。

費用は1万6600円　(昭和50.4.17)

国鉄(現・JR)名古屋駅から新幹線臨時列車「こだま」に乗り込む瑞穂ヶ丘、川名、黄金、八幡の4中学の生徒たち。川名中の先生によると箱根、東京、日光を回る旅行で1人当たりの費用は1万6600円、小遣い2000円以内。

城山中学卒業式　(昭和36.3.15)

名古屋市千種区の同校で。この年の愛知県内の中学卒業生は5万7029人で、進学が3万4189人、就職が2万1058人。

菊井中学卒業式（昭和42.3.15）

名古屋市西区の同校で。この年のヒット曲は「小指の思い出」「ブルー・シャトウ」「帰って来たヨッパライ」。

宮中学卒業式　（昭和43.3.15）

名古屋市熱田区の同校で。この年のヒット曲は「天使の誘惑」「恋の季節」「ブルー・ライト・ヨコハマ」。

前津中学卒業式　(昭和46.3.15)

名古屋市中区の同校で。この年のヒット曲は「また逢う日まで」「よこはま・たそがれ」「わたしの城下町」。

丸の内中学卒業式_1（昭和47.3.14）

名古屋市中区の同校で。この年のヒット曲は「瀬戸の花嫁」「女のみち」「喝采」。

天白中学卒業式　(昭和48.3.14)

名古屋市昭和区（現・天白区）の天白中学は当時、名古屋市随一のマンモス中学。同中の講堂が改装中で隣の天白小学校の講堂を間借り。しかし、卒業生658人が入ると満員で在校生は「送辞」を読む1人だけが出席。

丸の内中学卒業式_2　(昭和50.3.14)

この年のヒット曲は「港のヨーコ・ヨコハマ・ヨコスカ」「シクラメンのかほり」「心のこり」。

丸の内中学卒業式_3 （昭和50.3.14）

この年の話題映画は「青春の門」「金環蝕」「タワーリング・インフェルノ」。

上: **桜山中学校舎とプール**　(昭和27.6.12)

名古屋市昭和区の同校。プールは幼児らが立ち入らないように板柵が設けられた。

下: **有松中学の円形校舎**　(昭和33.5)

当時、知多郡有松町にあった有松中学は前年の2月に全国的にも珍しい円形校舎を建設。3階建てで15教室。

上：**マンモス中学**　（昭和37.1）

名古屋市千種区の城山中学は当時、全国一のマンモス中学と言われた。

下：**伊勢山中学の大掃除**　（昭和37.7.19）

名古屋市中区の同校で。夏休みを前に市内の各小中学校では生徒たちが校舎や校庭、学校周辺を掃除した。

上: **名古屋大学教育学部附属高校入試**（昭和35.2.21）

名古屋市東区（現・千種区）の同校で。受験生の前で教員が理科の実験を行い、その実験の解答と観察メモを書かせるテストの様子。

下: **愛知県立明和高校入試**（昭和35.3.17）

名古屋市東区の同校で。この年は、安保闘争が最高潮に達し、ちまたでは「ダッコちゃん人形」がブームに。

愛知淑徳高校入試　(昭和38.3.3)

この年、ベビーブーマーの高校受験で各校の競争率がアップ。名古屋市千種区の同校入試には定員250人に対して1676人が受験。同校の広い運動場は受験生と保護者で埋まった。

上:**明和高校入試**　(昭和39.3.17)

この年の愛知県の公立高校（全日制）の入学試験応募者は5万5369人で史上最多となった。

下:**愛知県立名古屋西高校入試**　(昭和42.3.17)

名古屋市西区の同校で。この年の映画は、「夕陽のガンマン」「昼顔」「夜の大捜査線」がヒット。

旭丘高校入試　(昭和43.3.18)

付き添いのお母さんたちの服装は着物と洋服が半々。校舎前でわが子を見送ったあと、学校が開放した教室で控え気をもんでいた。

上: **明和高校入試**　(昭和44.3.17)

この年のヒット曲は「長崎は今日も雨だった」「いいじゃないの幸せならば」「黒ネコのタンゴ」。

下: **椙山女学園高校入試**　(昭和45.3.1)

名古屋市千種区の同校で。この年の同校の入学試験倍率は4.4倍の激戦だった。

明和高校入試　(昭和45.3.17)

この年のヒット曲は「走れコウタロー」「知床旅情」「圭子の夢は夜ひらく」。

愛知県立蟹江高校入試　(昭和46.3.17)

愛知県蟹江町にこの年新設の同校は、校舎が建築中のため名古屋市中村区の県立松蔭高校で試験を行った。

明和高校入試 (昭和47.3.16)

この年、札幌五輪開催。テレビ番組では「刑事コロンボ」と「木枯し紋次郎」が話題に。

明和高校入試　(昭和48.3.16)

この年、映画では「燃えよドラゴン」「仁義なき戦い」がヒット。

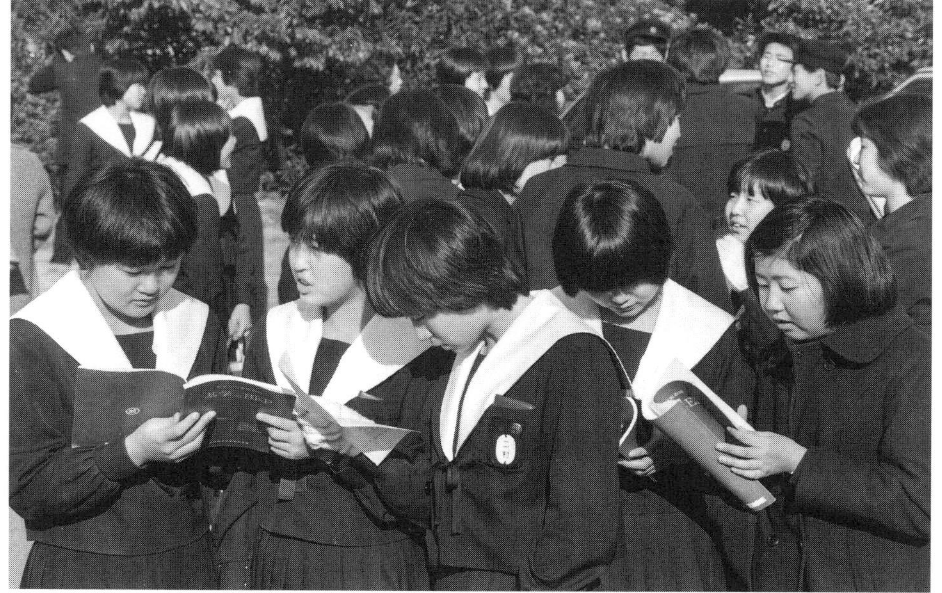

上：**明和高校入試**　（昭和50.3.17）

この年、テレビ番組では「欽ちゃんのドンとやってみよう！」が人気に。

下：**明和高校入試**　（昭和56.3.16）

この年のヒット曲は、「ルビーの指輪」「恋人よ」「スニーカーぶる～す」。

明和高校入試　（昭和55.3.17）

この年のヒット曲は、「ダンシング・オールナイト」「雨の慕情」。山口百恵が引退した。

狭き門　(平成3.2.2)

学問の神様・菅原道真をまつる江南市の北野天神社には内寸が高さ50cm、幅40cmの「狭き門」があり、毎年受験生でにぎわう。

上: **明和高校合格発表**　(昭和39.3.20)

この年、東京五輪開催、新幹線が運行を開始した。

下: **愛知県立愛知商業高校合格発表**　(昭和42.3.20)

名古屋市東区の同校で。この年、グループ・サウンズがブームに。テレビCMではレナウンの「イエイエ」が流行。

上：愛知商業高校合格発表　(昭和42.3.20)

この年、牛乳は20円、ラーメンは100円だった。

下：愛知商業高校合格発表　(昭和44.3.20)

この年、テレビでは「巨泉・前武ゲバゲバ90分！」「8時だョ！全員集合」が人気に。

名古屋市立工芸高校合格発表　(昭和43.3.21)

名古屋市東区の同校はこの年、市立高校では倍率が最高の激戦校となった。

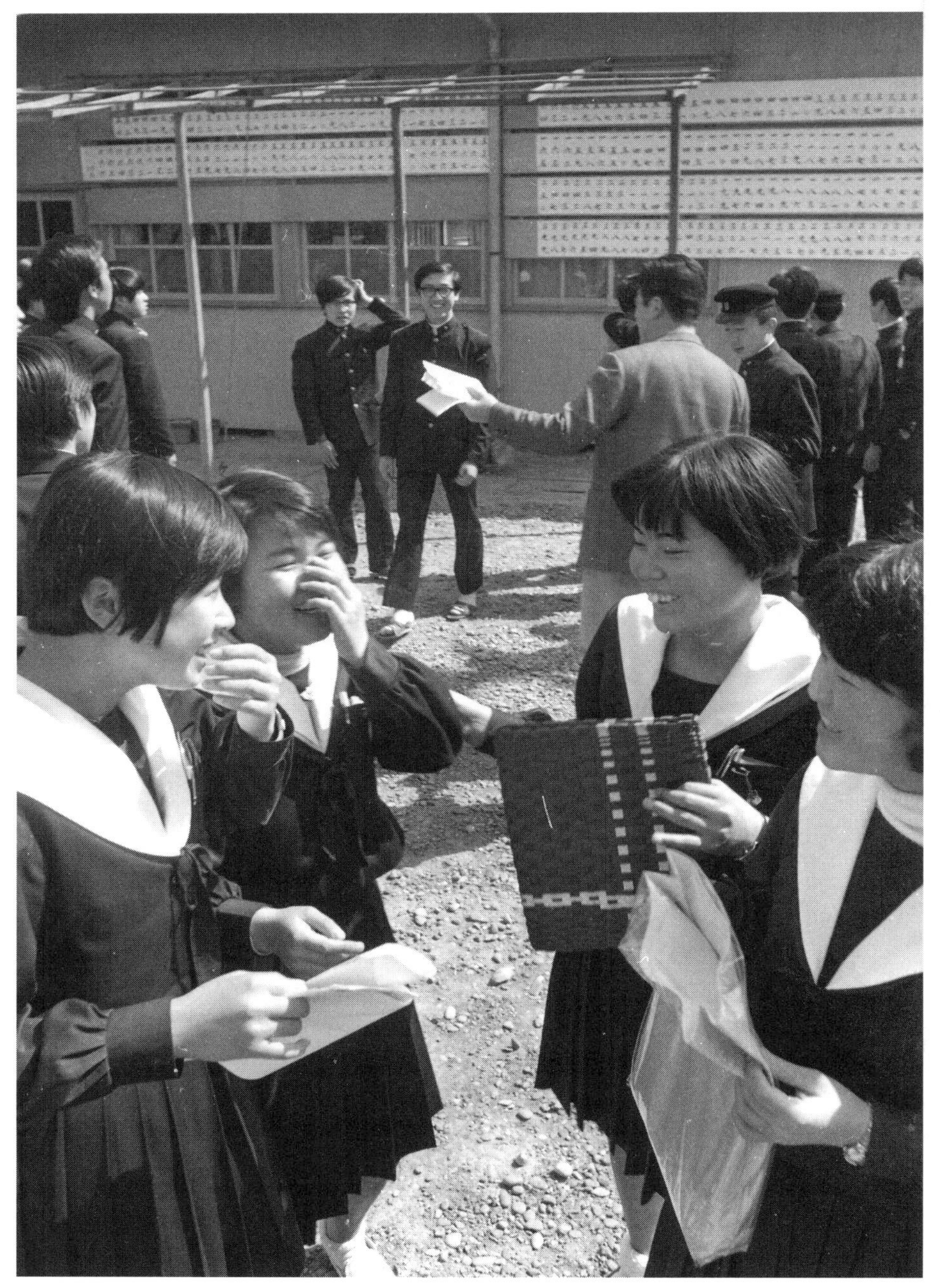

蟹江高校合格発表　(昭和46.3.20)

校舎建築中のため名古屋市中村区の松蔭高校で試験を行った同校は、合格発表も松蔭高校で実施。このため、同じ高校で2校の合格発表が行われる珍しい風景が。

明和高校合格発表　(昭和48.3.22)

この年、愛知県では学校格差、過当競争の解消をねらった学校群制度を導入。受験科目も、受験生の負担を軽くするため5科目から国語、数学、英語の3科目に。

明和高校合格発表　（昭和50.3.22）

この年、日本の登山隊の田部井淳子さんが女性としては世界で初めてエベレストに登頂した。

明和高校合格発表　(昭和50.3.22)

この年、広島カープがセ・リーグ初優勝。「赤ヘル旋風」と言われた。

明和高校合格発表　(平成5.3.23)

この年、日本初のプロサッカーリーグ・Jリーグが開幕。爆発的なブームに。

明和高校合格発表 （平成5.3.23）

この年のヒット曲は、「YAH YAH YAH」「愛のままにわがままに 僕は君だけを傷つけない」「負けないで」。

明和高校合格発表　(平成6.3.22)

この年のヒット曲は、「innocent world」「ロマンスの神様」「空と君のあいだに」。

明和高校合格発表（平成6.3.22）

この年、愛工大名電からオリックスに加入した鈴木一朗がイチローの登録名で出場。シーズン200本安打を達成した。

旭丘高校入学式　(昭和42.4.5)

この年、ミニスカートの女王と呼ばれたイギリスのモデル、ツイッギーが来日。ミニが爆発的に流行。

中京商業プール開き　（昭和29.4.10）

名古屋市昭和区の現・中京大学附属中京高校水泳部のプール開き。同校水泳部は全国高校総体で２度優勝の強豪。

椙山女学園高校プール開き　(昭和33.3.20)

名古屋市千種区の同校で行われたプール開き。同校水泳部はベルリン五輪金メダルの前畑秀子さんを生んだ戦前からの強豪。

名古屋学院プール開き　(昭和40.4.6)

名古屋市東区の同校プールで大学、高校、中学の水泳部員が参加。水温9度、気温11度のなか、プールサイドのドラム缶にマキがくべられた。

日本体操祭名古屋中央大会 （昭和41.5.16）

日本体操祭は昭和29年～昭和43年に実施された全国規模の集団体操の祭典。名古屋市の瑞穂陸上競技場で市内の小中高生、女性団体、警察官など8000人が参加。写真は市立若宮商業高校（現・天白区）女生徒たちによるマスゲーム。

高蔵女子商業高校（現・名古屋経済大学高蔵高校）　（昭和41.6.1）

名古屋市熱田区で雨の中、衣替えの同校生徒たちが登校。この日、近くの高座結御子神社では、子どもたちの健やかな成長を願って子どもに境内の井戸の中をのぞかせる「井戸のぞき」が行われた。

名古屋駅コンコースで　(昭和44.6.1)

この年の4月1日、中京テレビ放送が開局。12月24日にはFM愛知が開局した。

愛知淑徳高校　（昭和43.6.1）

名古屋市千種区の地下鉄星ヶ丘駅付近で撮影。この年、洋楽ではピーター・ポール＆マリー「ロック天国」やザ・モンキーズ「モンキーズのテーマ」「恋の合言葉」が人気を集めた。

市邨学園名古屋女子商業高校　(昭和45.6.1)

この年の6月1日も雨。名古屋市千種区で衣替えの同校生徒たちが傘を差し元気に登校。同月23日には日米安保条約が自動延長。名古屋では11月1日、名古屋駅前に地下街ユニモールが誕生。

金城学院高校　（昭和46.6.1）

名古屋市東区で。この年、中山律子ら人気プロボウラーの試合をテレビが中継。ボウリング人気が頂点に。名古屋では3月～4月に世界卓球選手権が開かれ、「ピンポン外交」に発展。米中雪解けのきっかけとなった。

愛知淑徳高校　(昭和48.6.1)

名古屋市千種区で。この年、洋画では「アメリカン・グラフティ」「スケアクロウ」がヒット。洋楽では「忘れじのグローリア」「カリフォルニアの青い空」がヒット。

明和高校　(昭和50.6.2)

名古屋市中区で。この年の2月1日、名古屋市の千種区から名東区、昭和区から天白区が分区。16区制となった。

愛知淑徳高校　(昭和51.6.1)

名古屋市千種区で。この年、愛知県の人口が600万人を突破。名古屋市では名駅前に地下街テルミナが誕生。

市邨学園高蔵高校（現·名古屋経済大学高蔵高校）（昭和52.6.1）

名古屋市熱田区で。近くの高座結御子神社のまつりと重なり、提灯が揺れる中を登校。この年、名古屋市営地下鉄の自動集改札がスタート。市博物館がオープン。

愛知淑徳高校　(昭和53.6.1)

名古屋市千種区で。この年の8月20日、名鉄瀬戸線が栄に乗り入れ。栄に地下街セントラルパーク開業。

市邨学園高蔵高校（現·名古屋経済大学高蔵高校）　（昭和56.6.1）

名古屋市熱田区で。この年3月、ピンク・レディーが解散。1988年五輪が韓国ソウルで開催決定。立候補していた名古屋が敗れた。

市邨学園高蔵高校（現･名古屋経済大学高蔵高校）（昭和59.6.1）

名古屋市熱田区で。この年3月、名古屋で初の女子フルマラソン（現・名古屋国際女子マラソン）開催。

金城学院高校　(昭和63.6.1)

名古屋市東区で。この年のヒット曲は「パラダイス銀河」「Diamondハリケーン」「剣の舞」など光GENJIの曲が上位を独占。中日ドラゴンズが6年ぶり４度目のセ・リーグ優勝。

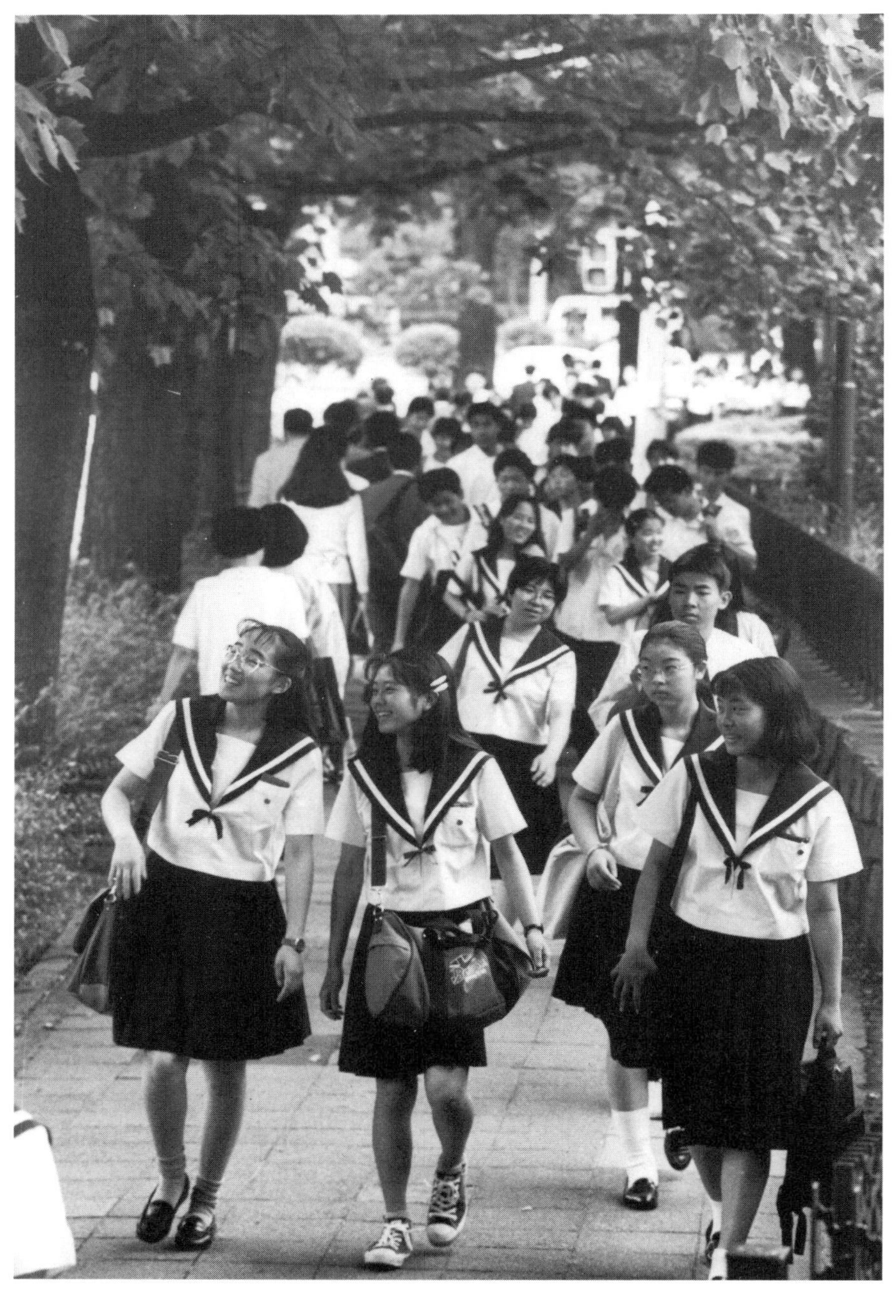

明和高校　(平成6.6.1)

名古屋市中区で。この年、ゲーム機の「プレイステーション」「セガサターン」が登場。週刊少年サンデーで「名探偵コナン」の連載スタート。ヒット曲は「innocent world」「世界が終るまでは…」「恋しさと せつなさと 心強さと」。

愛知淑徳高校　(平成8.6.1)

名古屋市千種区で。この年、電子ゲーム「たまごっち」がヒット。歌手安室奈美恵のファッションをまねた「アムラー」が急増。ヒット曲は「名もなき詩」「DEPARTURES」。

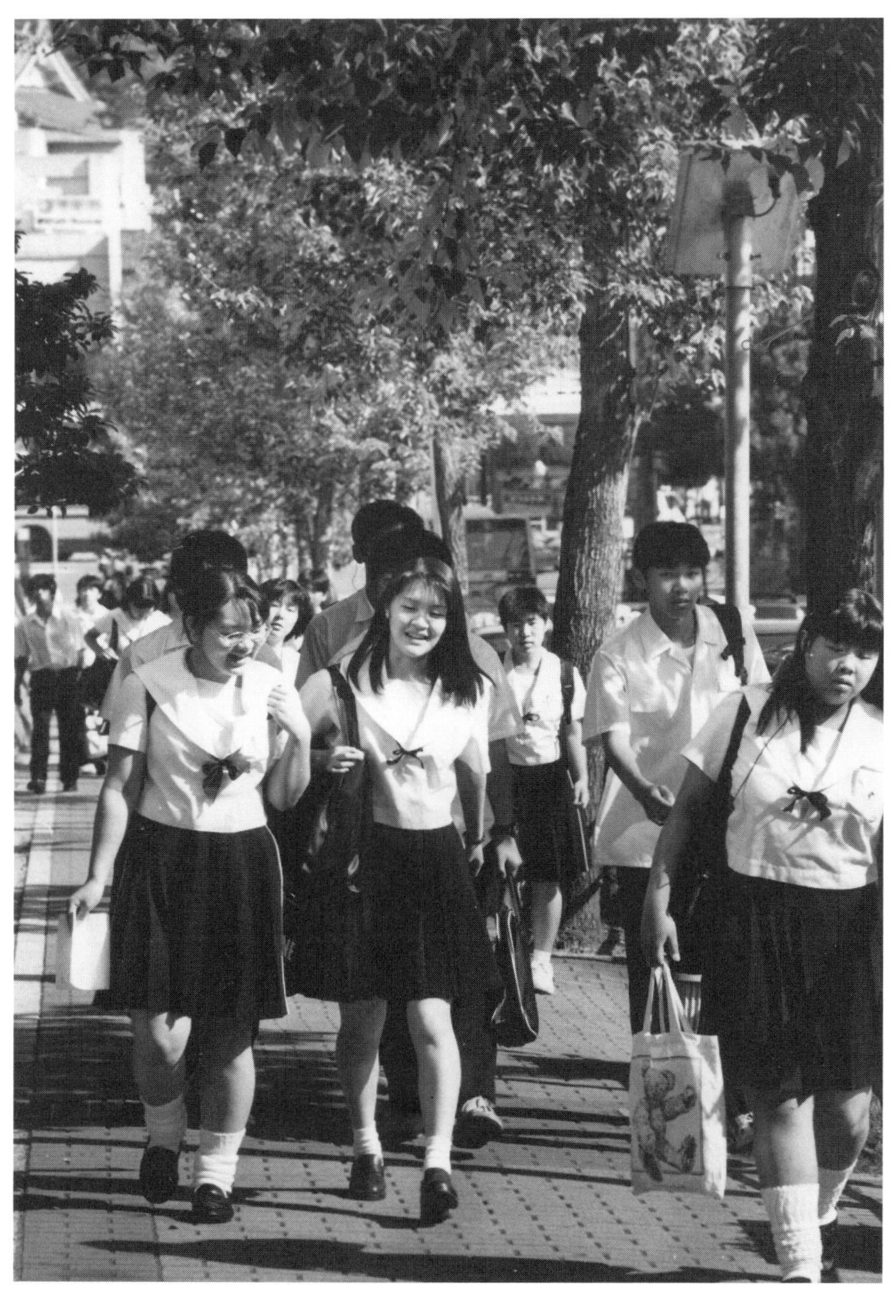

名古屋市立菊里高校　(平成10.6.1)

名古屋市千種区星ヶ丘付近で。この年、宇多田ヒカルが「Automatic/time will tell」でデビュー。GLAYやSPEED、モーニング娘。らがヒットを飛ばし、国内のCDの売り上げがピークを迎えた。

5

レジェンドの泳ぎ_1　（昭和26.7.26）

母校の椙山女学園高校プールで模範の泳ぎをするベルリン五輪金メダルの兵藤（旧姓前畑）秀子さん（写真奥）。プールには金メダルのレースのアナウンサーのラジオ実況「前畑ガンバレ」の録音が流された。

レジェンドの泳ぎ_2 (昭和30.7.13)

この日、同校卒業生による兵藤さんを囲む会「椙泳会」が発足。発会式に駆け付けた兵藤さん(写真手前右から2人目)は同校プールで模範の泳ぎ。

海水浴へ　(昭和30.7.31)

知多の海を目指す高校生らでごった返す名古屋市熱田区の名鉄神宮前駅前。当時は夏といえば海水浴で、鉄道を使って向かうのが一般的だった。

水中に咲く花　（昭和32.8.24）

名古屋市熱田区の神宮公園プールで行われた水泳大会でエキシビションとして行われた「長浦水練学校」女子部員らの「水中バレエ」。中高生12人が可憐に披露。

ガンバレ受験生　（平成6.8.31）

名古屋市中区の愛知県図書館前。夏休みになると涼しい場所で勉強をと、受験を控えた中高生らによる「席取り行列」ができる。休み終盤は宿題に励む若者もいて長蛇の列に。

名古屋短期大学付属高校通学風景　(昭和38.1)

名古屋市昭和区緑町にある桜並木の下を通学する同校（現・桜花学園高校）の生徒たち。

失われた風景　（昭和39.5）

名鉄瀬戸線はかつて名古屋城のお堀下を走行。瀬戸方面からお堀への入り口付近には「土居下」駅（名古屋市中区）があり、近くの明和高校生徒らが利用した。

坂の町　(昭和39.7)

椙山女学園高校のある名古屋市千種区は風情のある坂道が多い地区。

明和高校通学風景　(昭和44.4.16)

この年の7月、アメリカの宇宙船「アポロ11号」が月に到達し、人類が初めて月面に立った。

名古屋駅前_1　(昭和45.6.28)

この年、3月15日～9月13日に大阪万博が開かれ6421万8770人が入場した。

名古屋駅前＿2　(昭和45.10.1)

衣替えのこの日、市バスのバス停は冬の制服姿の高校生らでごった返した。

名古屋駅前_3 (昭和45.10.1)

学生帽をかぶり肩掛けのショルダーカバンで通学する男子生徒。女子生徒の学生鞄も時代を感じさせる。

名古屋駅前_4　(昭和45.10.1)

この年の洋画は、「イージー・ライダー」「明日に向かって撃て」などが話題に。

名古屋駅前_5（昭和45.10.1）

この年、アメリカで始まった「歩行者天国」が日本でも。名古屋では9月6日に中区・南大津通で行われた。

名古屋駅前_6　(昭和45.10.1)

この年、洋楽ではサイモン&ガーファンクルの「明日に架ける橋」やカーペンターズの「遥かなる影」が若者の心を揺さぶった。

色づく街を　(昭和58.11.8)

名古屋市中区三の丸の街路樹の下を通学する女子高生ら。「立冬」のこの日、
秋晴れの下、街路樹は色づき始めた。

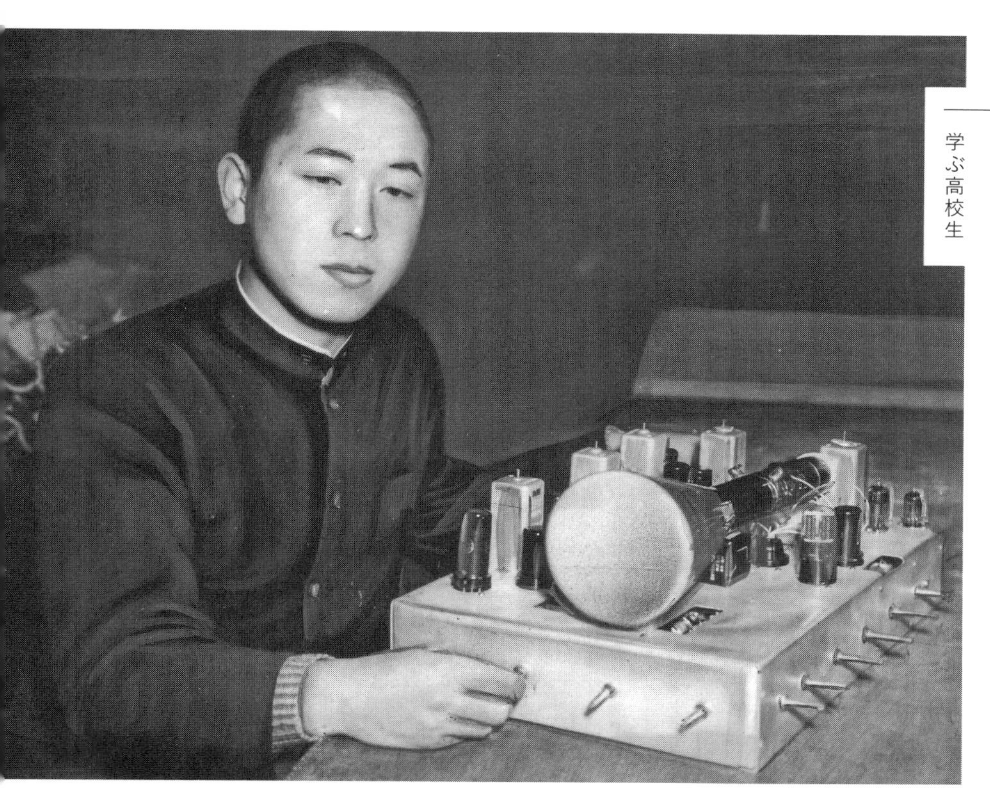

テレビ受像機を独力で組み立て （昭和27.3.6）

テレビの本放送（昭和28年）を前に名古屋でも行われた試験放送に刺激を受けた名古屋市立工業高校（同市中川区）2年の男子生徒が、独力でテレビ受像機を製作。話題になった。

名古屋西高校天文クラブ_1 （昭和32.5.22）

「国際地球観測年」の昭和32年〜33年、アメリカが人工衛星を発射することになり、同校や明和、昭和、熱田の4高校天文クラブが観測に参加。写真は、校舎屋上で観測訓練する部員たち。

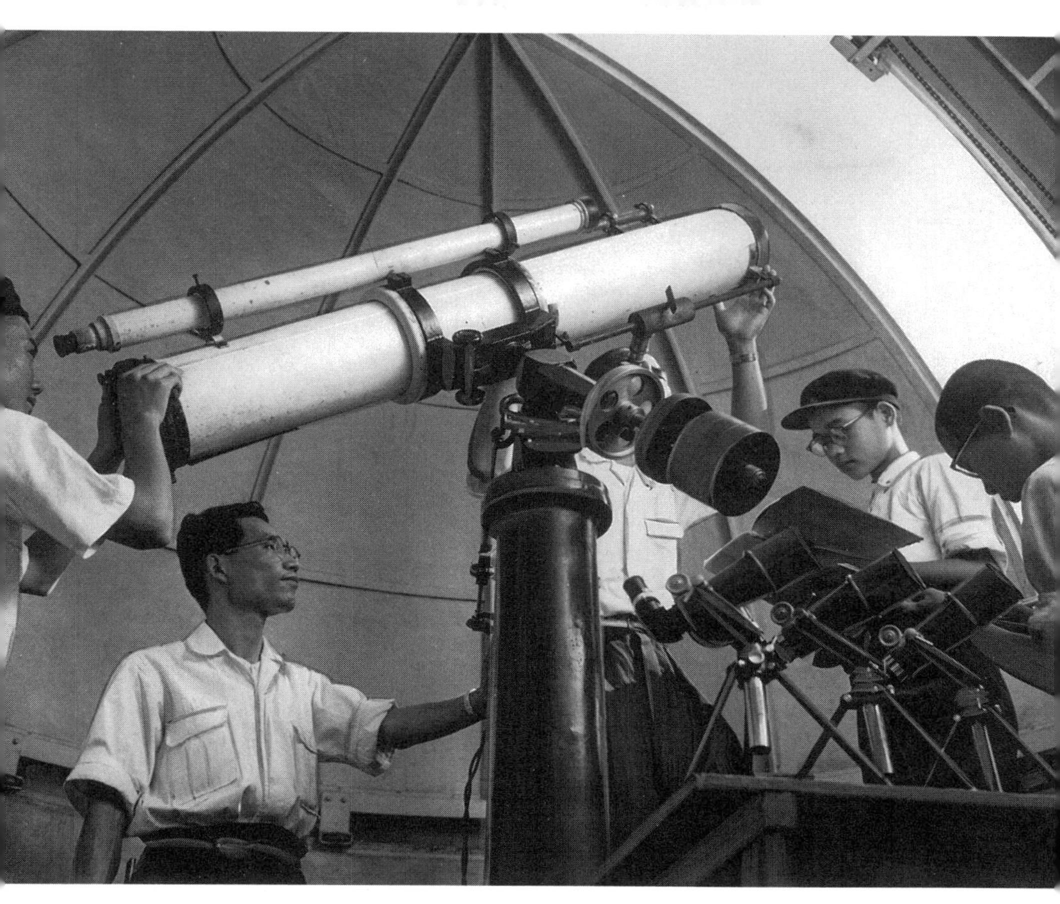

名古屋西高校天文クラブ_2 （昭和32.8.20）

同クラブは昭和24年発足。写真は校舎屋上のドーム内にある15㎝反射望遠鏡と4㎝屈折望遠鏡。

愛知県立熱田高校天文部_1 (昭和43.10.6)

この日、「中秋の名月」と皆既月食がかさなり、観測の準備をする部員たち。

熱田高校天文部＿2（昭和43.10.6）

「中秋の名月」が月食というのは大正2年9月15日以来、55年ぶり。

浮かんだぞ！エアカー　（昭和43.12.29）

名古屋市南区の大同工業高校（現・大同大学大同高校）で、同校航空部が開発したエアカーの実験飛行が行われ、見事浮上。1年余にわたる開発に成功した。

「えんやこら号」進水へ　(昭和44.8.29)

大同工業高校（現・大同大学大同高校）の自動車部がベニヤ板やトタン製の一人乗りヨット「えんやこら号」を製作。普段自動車の研究をしている部員たちが「たまには海上を走りたい」と開発した。

「測量、大好き！」（昭和45.2.16）

名古屋市北区（当時）の愛知県立愛知工業高校（現・愛知総合工科高校）土木科の授業風景。当時、土木科では珍しい女子生徒も。「測量がやりたくて入学」という女子生徒はトップクラスの成績で卒業した。

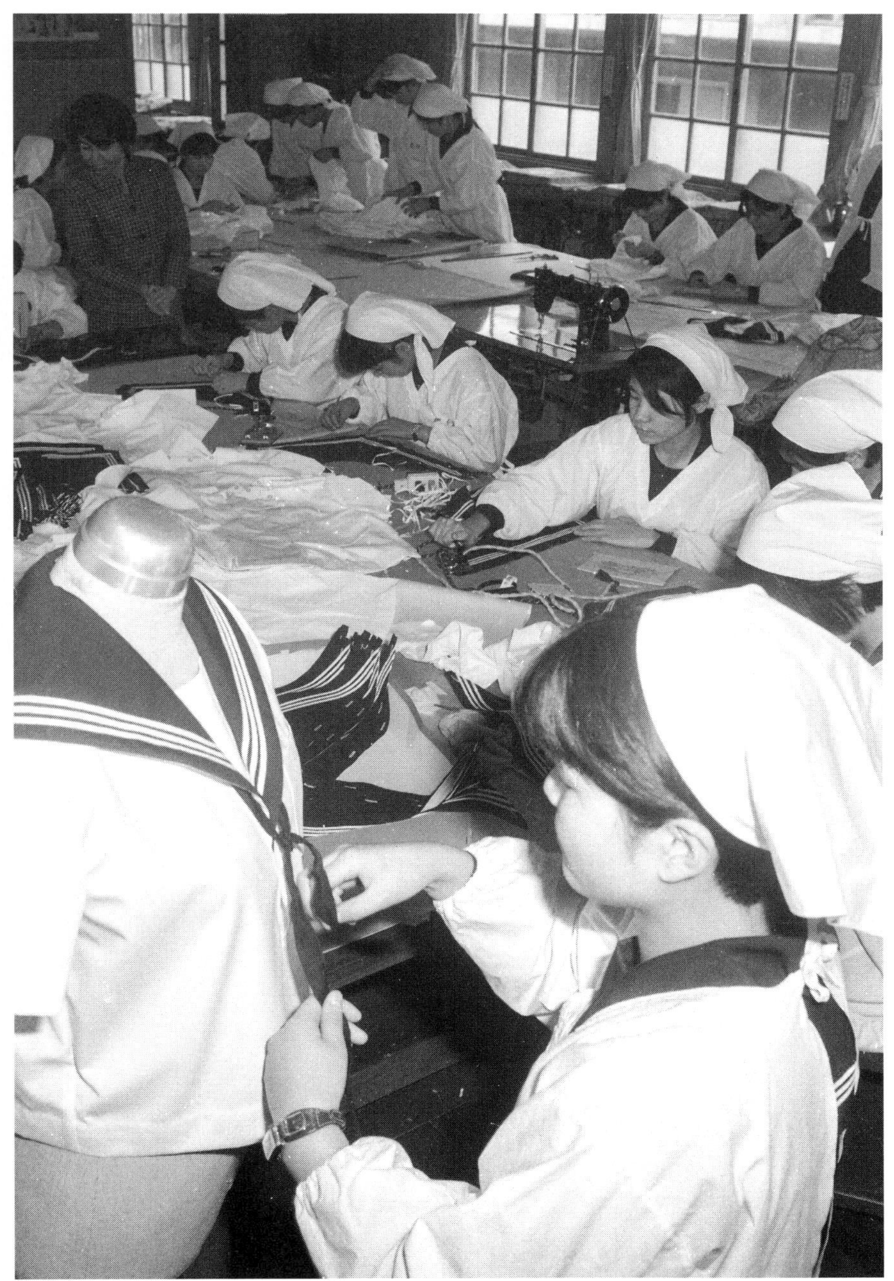

できました。セーラー服 （昭和44.2.21）

名古屋市南区の市立桜台高校で新入生のためにセーラー服の製作をする被服科の生徒たち。同科では後輩のために1、2年生が運動着、3年生が夏用セーラー服を作るのが恒例行事。

童子が動いた！　(平成6.9.14)

名古屋市瑞穂区の愛知県立瑞陵高校生徒が、愛知の祭りを代表する山車のからくり人形の製作に挑戦。采配を振る「采配童子」を完成させた。

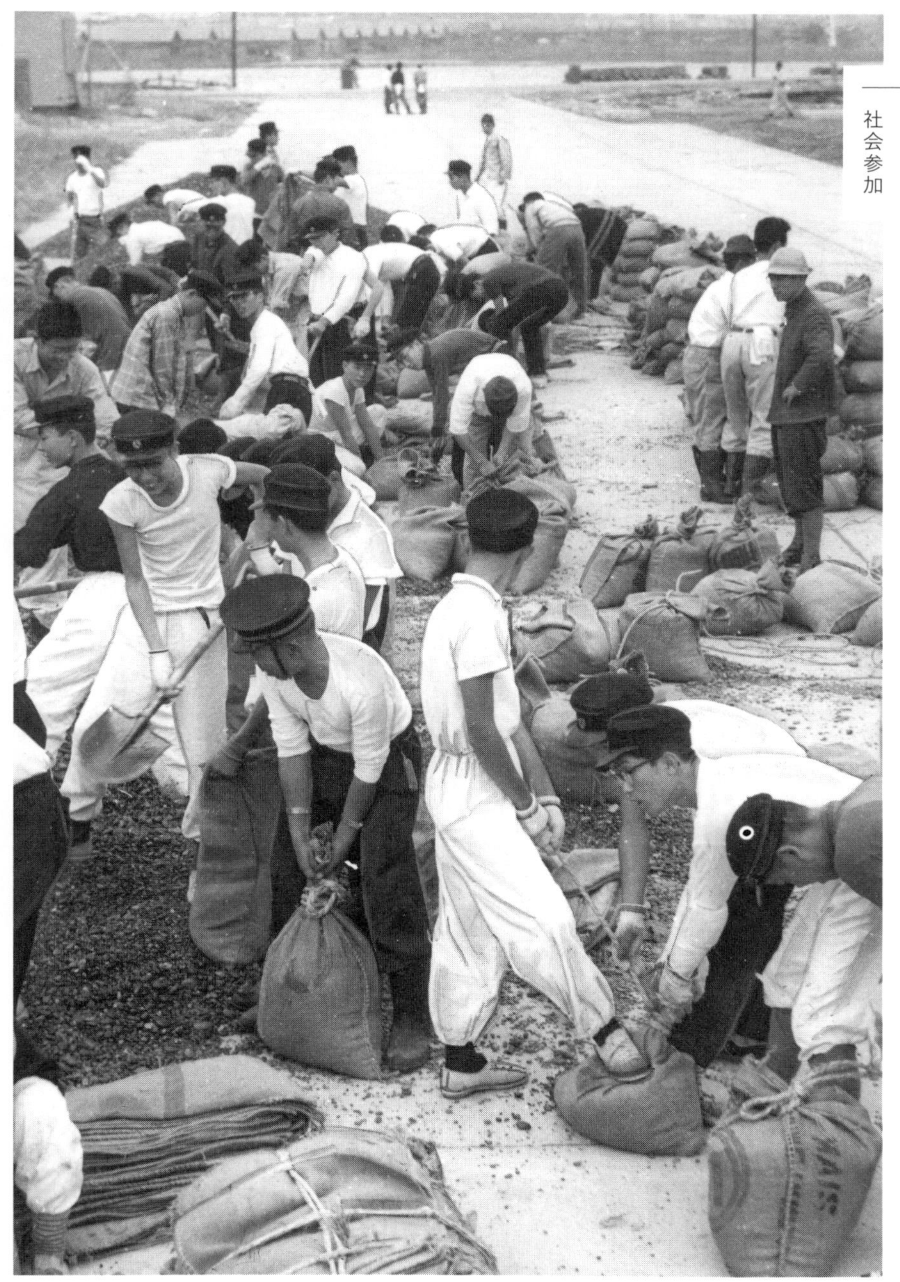

復旧へ、高校生パワー　（昭和34.10）

同年9月26日に東海地方を襲った伊勢湾台風は各地に甚大な被害を与えた。名古屋市内のほぼ全校の高校生たちが復旧に立ち上がり、物資輸送や土のうづくりに汗を流した。

被災地に愛の運動具　(昭和35.2.17)

前年の伊勢湾台風で被災した県内60の学校に運動具が贈られることになり、名古屋市中川区の市立工業高校で伝達式が行われた。海外からの義援金で日赤愛知県支部が業者に注文。写真は跳び箱などを運び込む同校青少年赤十字団員。

平和の架け橋　（昭和36.10.28）

世界の核実験を憂えた旭丘高校の郵便友の会部員らが、文通仲間のソ連（現・ロシア）の高校生らに「核実験反対」を呼び掛ける手紙を送った。千羽鶴を同封し、「平和のために手を結ぼう」と訴えた。

大統領からの手紙　(昭和39.6.1)

フィンランドの少女と文通していた名古屋市南区の桜台高校の女子生徒が東京五輪を前に周囲の勧めで、同国大統領に「日本との友好を深めましょう」と大統領の似顔絵を添えた手紙を投函。数日後、大統領から「あなたがフィンランドに来るのが楽しみ」と返事が届き、五輪を前に話題になった。

市電さん、ありがとう　（昭和39.6.14）

名古屋市熱田区の市電車庫で市電を掃除する名古屋女学院高校（現・名古屋女子大学高校）の青少年赤十字クラブ員たち。「通学でお世話になっている車両を自分たちの手できれいにしたい」と買って出た。

名古屋市立工業高校で卒業記念献血　(昭和43.2.16)

当時、同校は卒業生の有志が記念献血をするのが恒例行事。この日は約80人が献血したが、その中の一人が昭和37年に県赤十字献血センター設置以来10万人目の献血者となり、同センターから表彰された。

万博成功を願いパレード　（昭和43.3.15）

大阪万博開幕まで、あと２年。名古屋市内でも万博成功を願って記念パレードを実施。市邨学園のバトン部員らが参加した。

椙山女学園高校　(昭和40.10.1)

名古屋市千種区で。この年3月18日、犬山市の明治村開村。5月11日、名古屋駅前の大名古屋ビルヂングが全館竣工。テレビではアニメ「オバケのQ太郎」、実写版「サザエさん」が人気。

名古屋女子商業高校（現·名古屋経済大学市邨高校）（昭和41.10.1）

名古屋市千種区で。この年4月26日、名古屋栄に中日ビル竣工。テレビではNHK朝ドラ「おはなはん」、「ウルトラマン」が人気に。

金城学院高校　(昭和42.10.2)

名古屋市東区で。この年、空襲で焼け固まった名古屋城金鯱の金塊が大蔵省(当時)から名古屋市に返還。市はその後、この金塊で金の茶釜や市旗の竿頭を作成。8月には東山公園一帯に「1万歩コース」を整備。

上: **愛知県立愛知商業高校**　(昭和46.10.1)

名古屋市東区で。この年、名古屋市電の栄―笹島町間が廃止。地下鉄名城線金山―名古屋港間が開通。

下: **椙山女学園高校**　(昭和47.10.1)

名古屋市千種区で。この年、グアム島で横井庄一さんを発見。中国から東京・上野動物園にパンダ来日。

専修学校・飯田女学院_1　(昭和60.10.1)

赤い羽根共同募金の初日でもある同日、同校は生徒が名古屋駅前で募金活動するのが恒例行事だった。同校は裁縫の専修学校。

専修学校・飯田女学院＿2（昭和62.10.1）

名古屋駅前で。この年、国鉄が分割民営化。ＪＲグループとしてスタート。
NTTが携帯電話サービス開始。短歌集「サラダ記念日」がヒット。

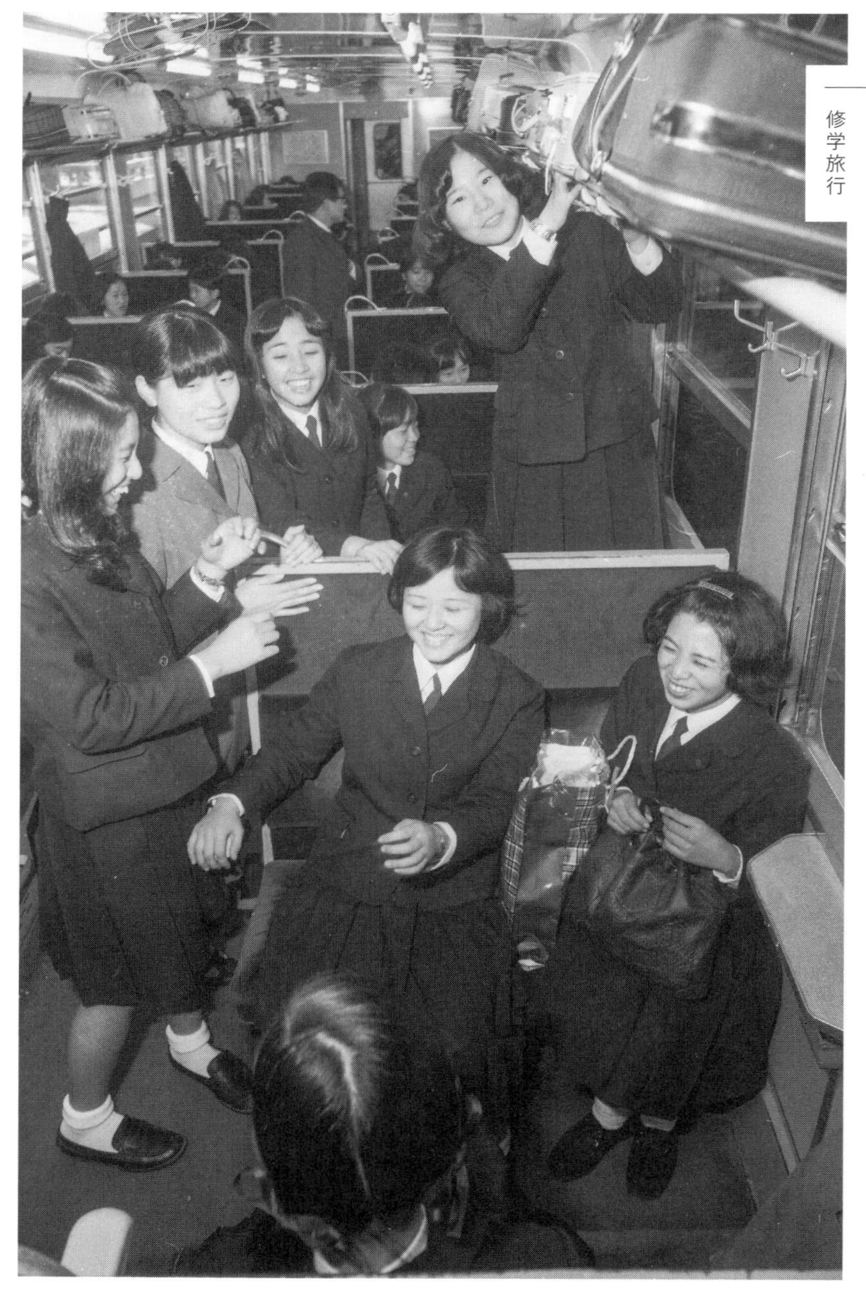

高校生の修学旅行　(昭和45.11.8)

高校生の修学旅行専用列車「わかあゆ号」が第1陣を乗せて、国鉄(現・JR)名古屋駅から山陽路、四国に向けて出発。愛知県立中川商業高校(現・中川青和高校)、県立常滑高校の生徒たちが乗り込んだ。

きよしこの夜　(昭和40.12.20)

名古屋市東区の名古屋学院クラインメモリアルチャペルで行われたクリスマス礼拝の様子。真っ暗な教会の中で火の灯るローソクを持った生徒らが「きよしこの夜」を合唱した。

「愛の広場」でイブに歌う　(昭和46.12.24)

名古屋市中区の松坂屋1階「愛の広場」で、芸術家の岡本太郎製作のオブジェを囲んで金城学院高校グリークラブの40人が讃美歌10曲を歌い上げ、買い物客を楽しませた。

街にはジングルベル （昭和58.12.24）

名古屋市中区の松坂屋1階「愛の広場」で賛美歌を歌う金城学院高校グリークラブの部員たち。美しいハーモニーが店内に響き渡った。

金城学院高校　（昭和33.2.22）

「女子高生の卒業を祝う会」の事前取材で撮影。同会は名古屋タイムズ紙が昭和31年から開催。名古屋市公会堂や愛知文化講堂を会場に希望者を招待し、音楽や映画で卒業を祝った。

椙山女学園高校＿1　(昭和34.1)

「女子高生の卒業を祝う会」の事前取材で撮影。名古屋市千種区の同校校舎屋上で学校のシンボル金剛塔をバックに。

椙山女学園高校＿2（昭和34.1）

「女子高生の卒業を祝う会」の事前取材で撮影。この年は9月に伊勢湾台風が東海地方を襲った。空襲で焼失し、再建を進めていた名古屋城天守閣が10月に竣工した。

椙山女学園高校＿3　(昭和34.1)

「女子高生の卒業を祝う会」の事前取材で撮影。この年1月、南極に置き去りにされた日本観測隊の樺太犬「タロ」「ジロ」の生存が確認された。3月には漫画雑誌「少年サンデー」「少年マガジン」が創刊された。

女子高生の卒業を祝う会　(昭和34.2.19)

名古屋市昭和区の市公会堂で開かれた同会で来場する女子高生たち。約4000人が招待され、中村八大とモダントリオの演奏、ユル・ブリンナー主演の映画「旅」を楽しんだ。

椙山女学園高校＿4 （昭和35.2）

「女子高生の卒業を祝う会」の事前取材で恩師を囲んで撮影。この年は名古屋市東区の愛知文化講堂で開かれ、音楽とドイツ映画「美しき冒険者」を楽しんだ。

椙山女学園高校＿5 （昭和35.2）

「女子高生の卒業を祝う会」の事前取材で撮影。この年、洋画では「勝手にしやがれ」「太陽がいっぱい」といったフランス映画が話題に。名古屋では4月1日に東海ラジオが開局。

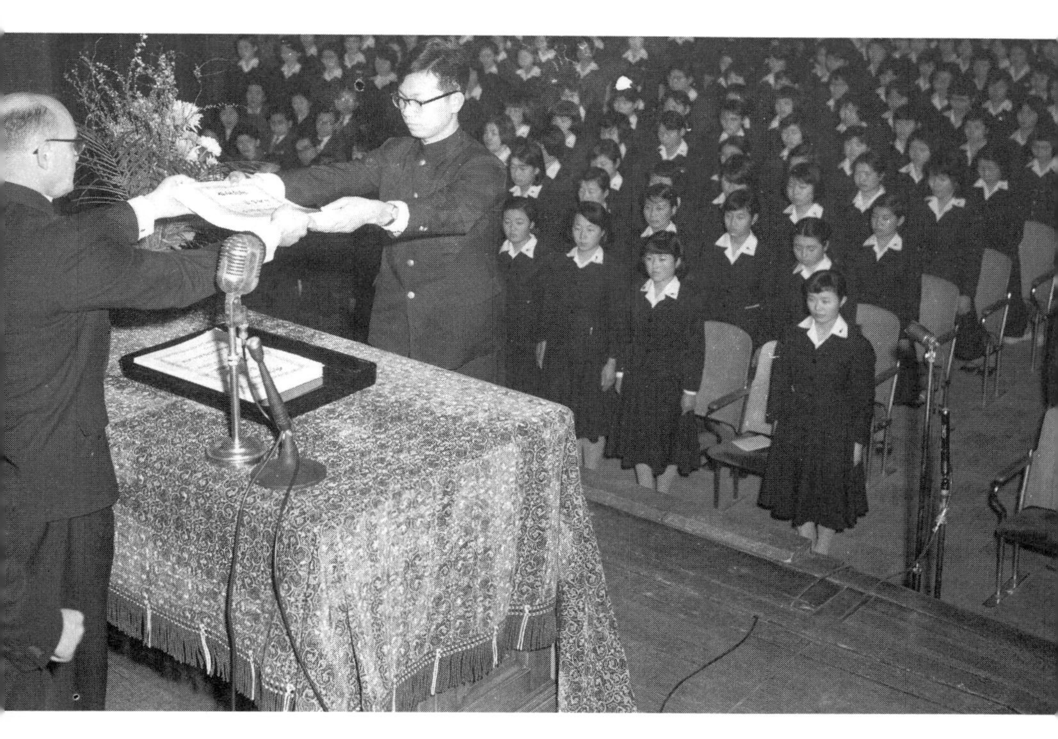

南山高校卒業式　(昭和35.2.18)

この年の卒業生は男子部155人、女子部161人。式後、女子部は大学食堂で謝恩パーティーを開催、かくし芸などを楽しんだ。

明和高校卒業式　(昭和42.3.1)

卒業式後に母親らに卒業証書をみせる生徒ら。この年、愛知県内の公立高校の卒業生は約3万9100人で過去最高を記録した。

松蔭高校卒業式　(昭和43.3.1)

「明治百年」のこの年、ハムのテレビCMの「わんぱくでもいい。たくましく育ってほしい」というナレーションが流行語に。

東海高校卒業式　（昭和45.2.17）

大学紛争の余波は高校にも。名古屋市東区の同校で行われた卒業式前には
ヘルメット姿の若者が現れ、「卒業式NON」などと書かれたビラを配った。

名古屋学院高校（現・名古屋高校）卒業式_1 （昭和45.2.18）

ミッションスクールらしく式は賛美歌の合唱で始まった。最後は同校グリークラブやフォークソング同好会がフォークソングを歌って送り出した。

名古屋学院高校（現·名古屋高校）卒業式_2 （昭和45.2.18）

この年、東映まんがまつりでは「ひみつのアッコちゃん」「タイガーマスク」「柔道一直線」などが上映された。

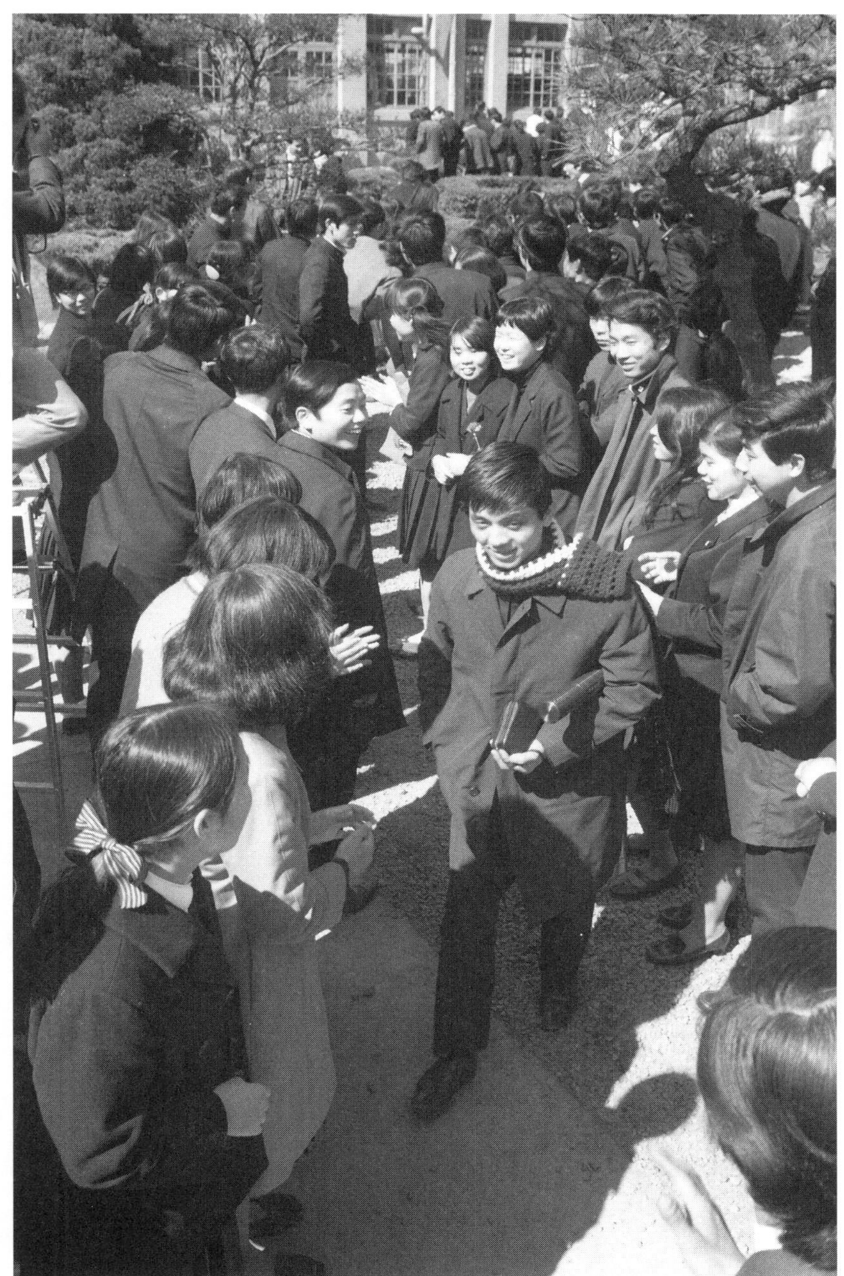

瑞陵高校卒業式 （昭和45.3.1）

この年の愛知県内の高校の卒業式は学生運動の余波で大荒れとなった。同校ではヘルメットにゲバ棒の高校生が式場に乱入を図り、警備の教官ともみあうなどした。一方で、卒業を喜ぶ生徒たちを後輩たちが笑顔で見送る風景も見られた。

旭丘高校卒業式　(昭和46.3.1)

前年に続き荒れる高校の卒業式。同校では紙飛行機が飛び交い、やじと怒号に包まれ、15分で終了。

名古屋市立工芸高校卒業式 (昭和48.3.1)

思い出いっぱいの東区の同校校庭で記念写真を撮る卒業生たち。高校紛争も沈静化しつつあったが、一部高校では「3年間の高校生活を総括させてほしい」と訴える生徒たちもいた。

上：**明和高校卒業式**　(昭和51.3.1)

この年は前年末に発売された「およげ！たいやきくん」が大ヒット。他に「ビューティフル・サンデー」「横須賀ストーリー」などがヒット。

下：**明和高校卒業式**　(昭和52.3.1)

この年の話題映画は「宇宙戦艦ヤマト」「幸福の黄色いハンカチ」「ロッキー」。

国立名古屋工業大学入試　(昭和35.3.22)

この年の同校入試は競争率各科平均13倍と開学以来の「狭き門」。4369人が受験したため国立名古屋大学教養学部などの校舎を間借りして行った。

上：**愛知学院大学入試**　（昭和44.2.16）

この年、映画「男はつらいよ」シリーズがスタート。洋画では「真夜中のカーボーイ」が話題に。

下：**名古屋大学入試_1**　（昭和44.3.3）

大学紛争の影響もなく試験はスムーズに行われたが、東京大学の入試中止などで競争率は5.4倍と史上最高。8928人が受験し、工学部の一部受験は南山大学を間借りして行われた。

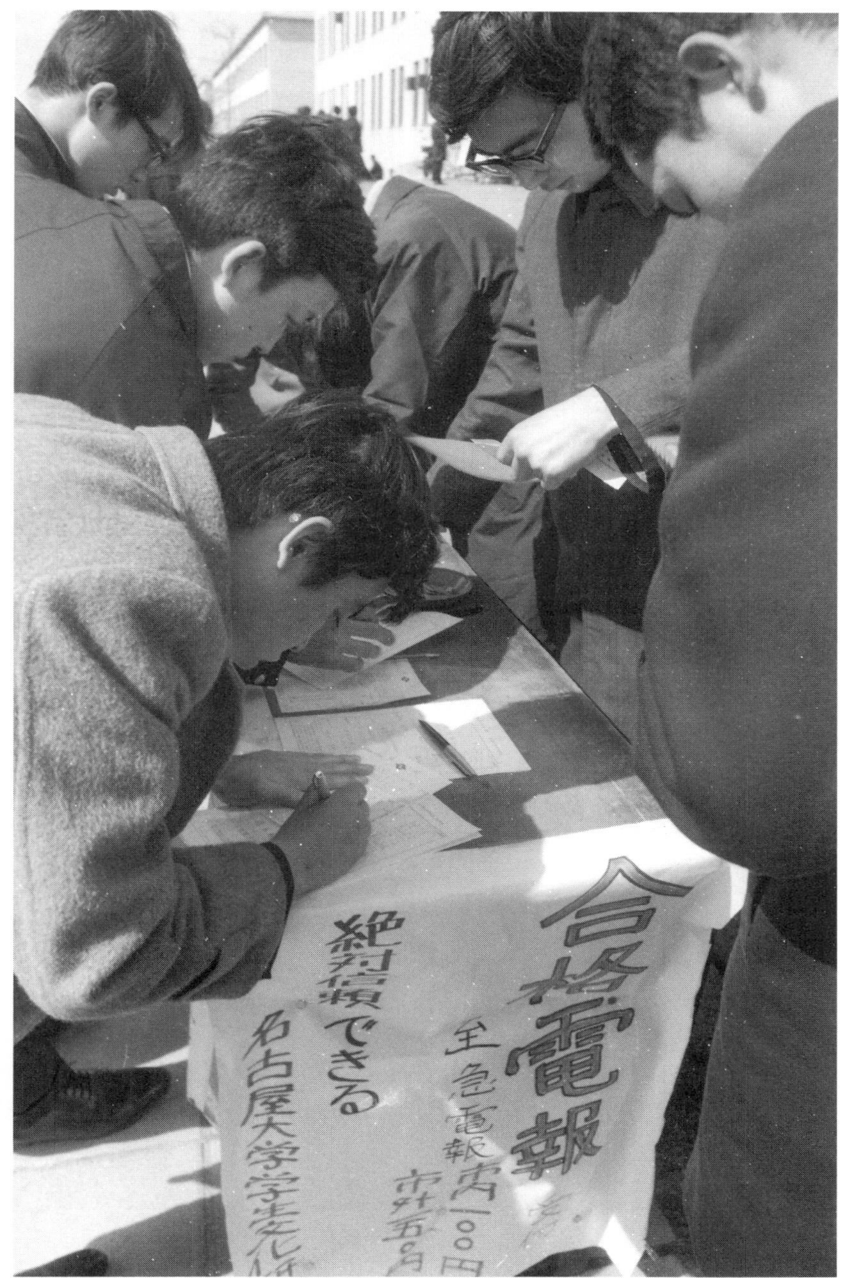

名古屋大学入試_2（昭和44.3.3）

合否を電報で知らせるサービスは大学入試の名物だった。遠方に住んでいるため校内に張り出される合否を確かめることができない受験生に対して在校生らが行った。写真は電報を申し込む受験生。

共通一次スタート_1　(昭和54.1.13)

初の国公立共通一次試験がスタート。国立1期、2期校の区別がなくなり受験は一発勝負に。県内の志願者は1万9201人。写真は7004人が受験した名古屋市千種区・名古屋大学の会場で高校の校旗を前に集まる受験生。

上・下: **共通一次スタート_2** （昭和54.1.13）

名古屋大学の試験会場では、試験前に各校が円陣を組んだり、担当教師がエールを送ったりと「決戦ムード」が高まった。

上: **共通一次スタート_3** (昭和54.1.13)

この年のヒット曲は、「YOUNG MAN」「魅せられて」「関白宣言」「贈る言葉」。

下: **大学入試センター試験** (平成7.1.14)

平成2年から始まった大学入試センター試験 (〜令和2年)。不況で学費の安い国公立大学志向が強まり、この年の出願者は過去最多の55万7400人。愛知県では3万8700人が受験。写真は名古屋大学会場。

河合塾予備校のマンモス入学式_1（昭和45.4.15）

名古屋市中区の愛知県体育館で行われた入学式には新入生約6500人と保護者約200人が出席。千種区、名駅、納屋橋の3校で受験勉強に励んだ。

上: 河合塾予備校のマンモス入学式_2 （昭和47.4.13）

この年も、南は沖縄、北は北海道から6600人が入学。式後、河合塾OBが「私はこうして合格した」と体験談を語った。

下: 河合塾予備校の運動会 （昭和47.5.29）

名古屋市瑞穂区の瑞穂運動場で行われた運動会には塾生約1000人が参加。100m走には「先んずれば人を制す」、障害物リレーには「難関を乗り越えて」など予備校らしいタイトルが。

上：**愛知県立成章高校**　（昭和42.11）

田原市にある同校は、田原藩の藩校がルーツの伝統校。昭和47年、平成20年に野球部が選抜大会に出場。弓道部女子も強豪で知られる。

下：**愛知県立刈谷高校**　（平成10.12.1）

大正８年開校の県立第八中学が前身でイギリスの名門イートン校をモデルに学校運営。進学校でサッカーを校技とすることでも知られる。

上：**集団就職**　（昭和34.3.30）

戦後、「金の卵」と呼ばれた中学卒業生たちが毎年、都市の労働力として送り込まれ、高度経済成長を支えた。写真は奄美大島から「比叡号」で国鉄（現・JR）名古屋駅に着いた集団就職の一行。

下：**集団就職の中学生たち**　（昭和46.3.19）

鹿児島から新幹線で名古屋入り。この春に愛知県内の企業に就職する中卒の若者は2万2000人、うち1万6000人は県外から。

中卒者の就職試験　(昭和43.1.11)

この年の中学卒業者の愛知県内の求人は約4万人。就職希望者は隣県を含めて9500人と「広き門」。写真は名古屋市千種区の市交通局教習所で行われた中卒者の試験。バスの車掌を目指す男女102人が臨んだ。

上：**高卒就職試験**　（昭和36.11.1）

当時は11月1日が高卒就職試験の解禁日で、写真は鶴舞公園内の名古屋市公会堂で行われた試験の様子。中部電力、松坂屋、東海製鐵（現・日本製鉄名古屋製鉄所）が別々の部屋で実施した。

下：**高卒就職試験**　（昭和50.10.1）

名古屋市東区の中部電力で行われた試験。この年度、愛知県の高校では6万3400人が卒業。うち2万1700人が就職を希望した。

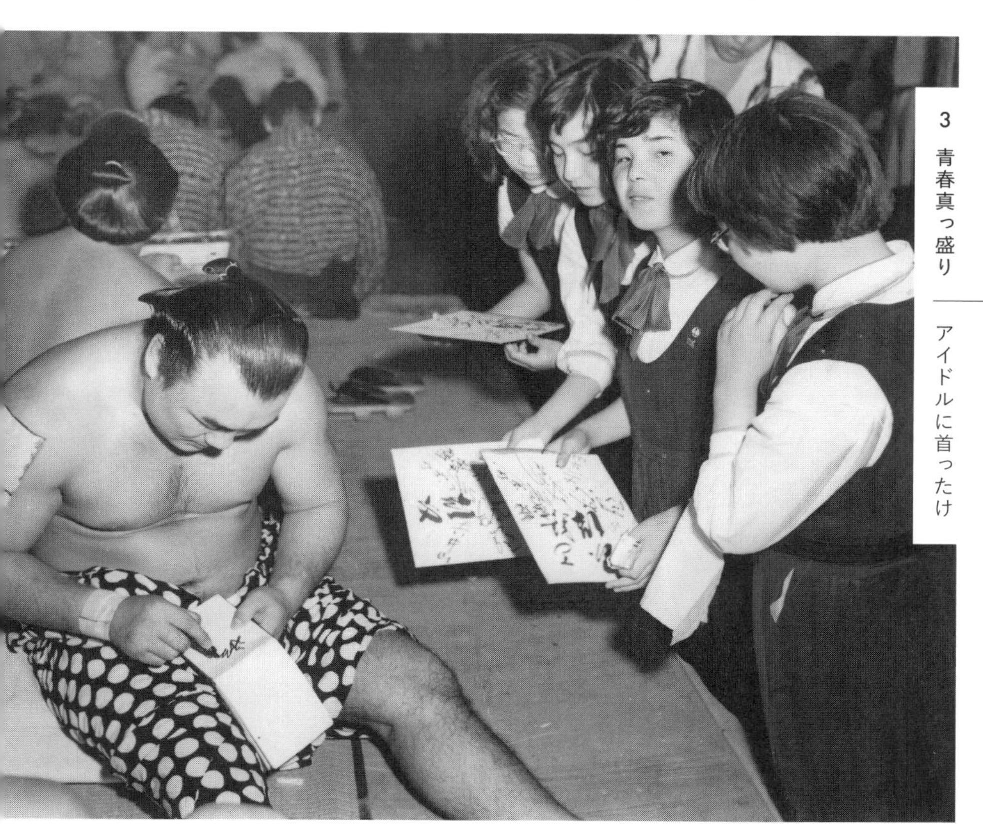

サインをお願い　(昭和32.7.2)

名古屋市中区にあった金山体育館で開催の大相撲名古屋場所で、人気力士・鶴ヶ嶺にサインを求める女子高生。この年まで名古屋場所は準本場所で翌年から本場所になる。

上：**グループ・サウンズを追いかけて**　（昭和43.8.15）

名古屋市中区の愛知県体育館で行われたザ・タイガースのコンサートで開場を待つ少女たち。約8000人がつめかけ会場を二重、三重に取り囲んだ。

下：**目指せ！明日のスター**　（昭和45.7）

当時、最大手の芸能プロダクションが名古屋市中村区にタレント養成校を開校。190人の生徒が歌や踊りのレッスンを受けながらスターを目指した。

上・下: **こっちを向いてよ〜**　(昭和52.9.26)

イギリスの人気ロックバンド「ベイ・シティ・ローラーズ」の名古屋公演を前に、彼らが宿泊した名古屋駅前の都ホテル前で、一目見ようと詰めかけた女の子たち。

上・下: 映画「高校三年生」一宮ロケ_1 (昭和38.9.20)

歌手舟木一夫のデビュー曲「高校三年生」を大映が映画化。舟木の地元・一宮市でロケが行われた。

上・下: **映画「高校三年生」一宮ロケ_2**　(昭和38.9.20)

舟木のほか姿美千子、高田美和、倉石功ら若いスターが出演。ロケ地の商店街は、現地の織物工場の女性従業員らが押し寄せた。

上・下: **映画「高校三年生」一宮ロケ_3**　(昭和38.9.20)

ファンの熱気に圧倒された舟木は「ちょっと怖いような感じですが、初めての映画なのでベストを尽くしたい」と話した。

上・下:「アイコ十六歳」_1 （昭和58.8.2）

名古屋を舞台にした堀田あけみさんの小説「1980アイコ十六歳」が映画化。
名古屋市千種区の市邨学園で撮影が行われた。写真下は主演の富田靖子。

「アイコ十六歳」_2 （昭和58.8.2）

出演者はオーデションで選ばれ、東山動物園や栄でもロケが行われた。

街にブラスバンドのリズム　(昭和35.12.1)

名古屋市昭和区滝子の五差路に信号機が完成。これを祝って名古屋市立工業高校のブラスバンドを先頭に地域住民が渡り初め。

ギターブーム到来　(昭和44.11.15)

フォークソングのブームで若者のギター熱はピークに。写真は名古屋市中区の楽器店で品定めする高校生たち。

レコード店に高校生の群れ（昭和44.2.11）

ザ・ビートルズや日本のポップスなど、様々な音楽がヒットしたこのころ、
午後ともなるとレコード店には学校帰りの高校生らがわんさか。

反戦・平和を歌に乗せて　(昭和44.7.27)

このころ、高校生を中心に名古屋栄の街頭で反戦・平和のメッセージを込めたフォークソングを歌う集団が現れた。若者たちの共感を得て集団は膨れ上がった。

上:**ラジオ・サテライトスタジオ_1**（昭和48.12）

名古屋栄の地下街サカエチカのクリスタル広場にあった日産ギャラリーでは東海ラジオのサテライトスタジオが設けられ、ゲスト目当てに高校生らが詰めかけた。

下:**ラジオ・サテライトスタジオ_2**（昭和48.12）

こちらは名古屋駅前の地下街エスカにあったCBCラジオのサテライトスタジオ。ゲストのライブとＤＪのおしゃべりが楽しめる若者たちの「聖地」だった。

桜台高校ファッションショー （昭和31.7.19）

同校家庭科の生徒たちが、丹精込めて作った自慢のドレスを持ち寄って同校講堂で開いたファッションショー。モデルも生徒が務め、会場を沸かせた。

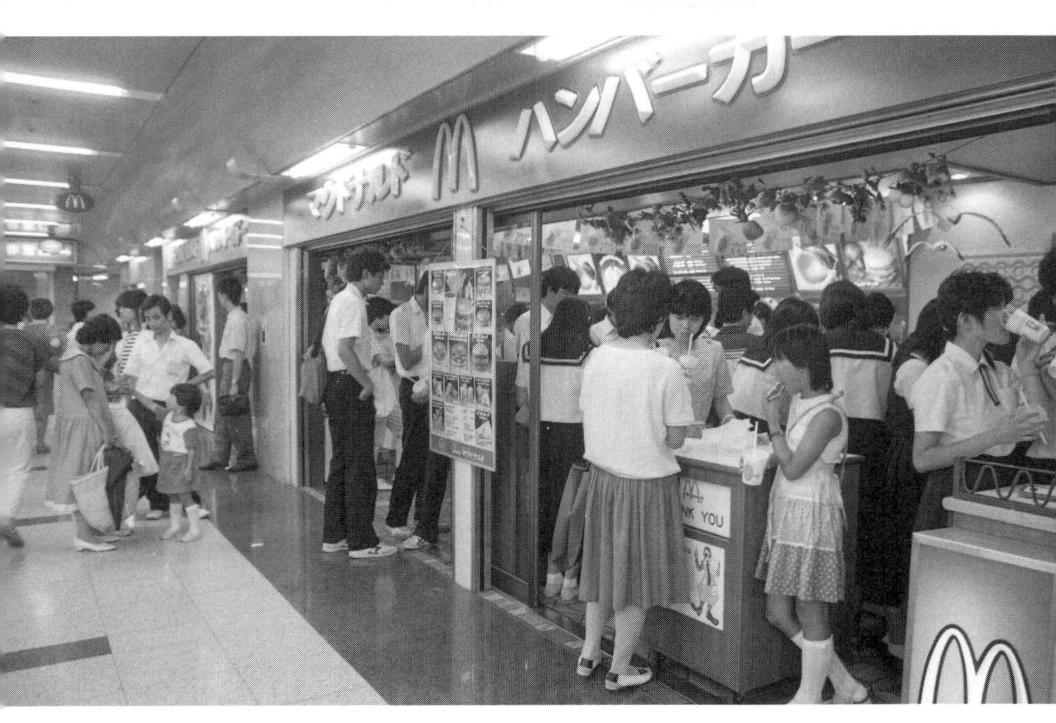

マック日本一　（昭和59.7）

中高生御用達のお店として知られた名古屋駅前の地下街テルミナの日本マクドナルド。前年の昭和58年には年間8億5000万円を売り上げ日本一に。世界でもトップクラスといわれた。

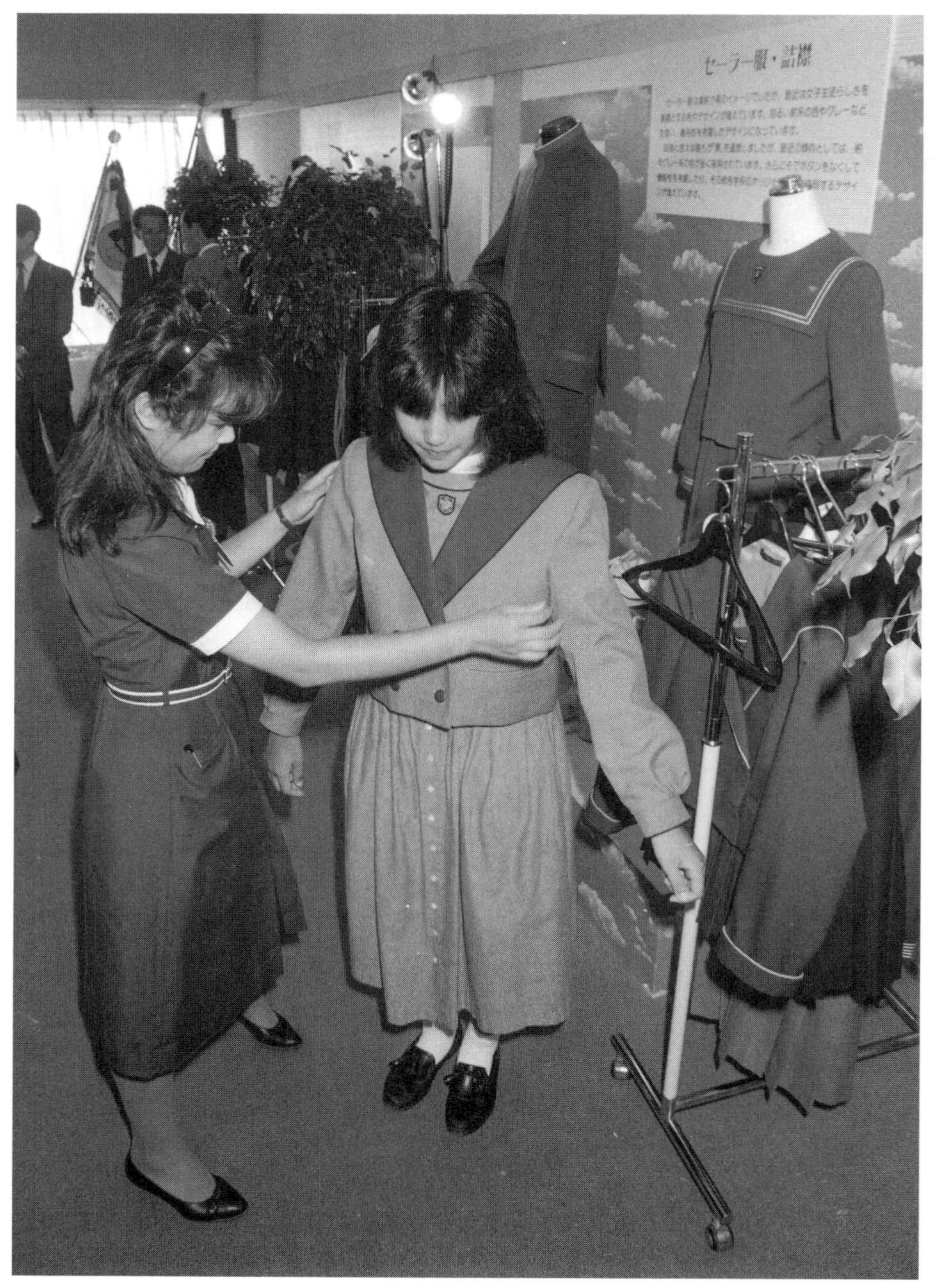

学生服もおしゃれ時代に　(昭和60.7.18)

名古屋市中区の松坂屋特設会場で開かれた制服の「新作発表会」の一こま。春の制服のモデルチェンジはこの時期から10月に決定されるため、学校関係者を狙って開催。約60点の新作はいずれもおしゃれ。

制服ファッションショー_1　(平成2.9.10)

松坂屋で開かれたオリジナルデザインの「ニュー学生服」発表会。イメージアップを図って制服をモデルチェンジする学校が続々。このころ栄徳、岡崎北、長久手、瀬戸窯業がニューデザインを採用した。

制服ファッションショー＿2 （平成2.11.3）

名古屋市中区の名古屋三越で開催された「スクールウエアコレクション」。
デザイナーズブランドとしてハナエ・モリ、ヒロコ・コシノ各7点も登場。

大須の古着店で品定め　(平成2.7.3)

このころ古着ブームが到来。大須には古着店が集合。デザイナーズブランド品が新品の7割引きで買えるとあって女子高生らに人気。

制服のトレンドは？　(平成3.2.23)

写真は松坂屋の制服売り場。修学旅行などで海外に行くことが増え、男子はブレザータイプに変える学校も。女子はジャケット、ベスト、スカートの三つ揃えが人気。

上：**ネックストラップ**　（平成11.9）

携帯電話を首からぶら下げる「ネックストラップ」が女子高生の必須アイテムに。スノーボーダーがゲレンデで家や自転車の鍵をぶら下げたのが始まり。

下：**ニーソックス**　（平成11.10）

冬を前にブーツの中にはく「ニーソックス」が若い女の子に爆発的に売れた。膝までと膝上の2種類。ブーツからはみ出るのがポイント。

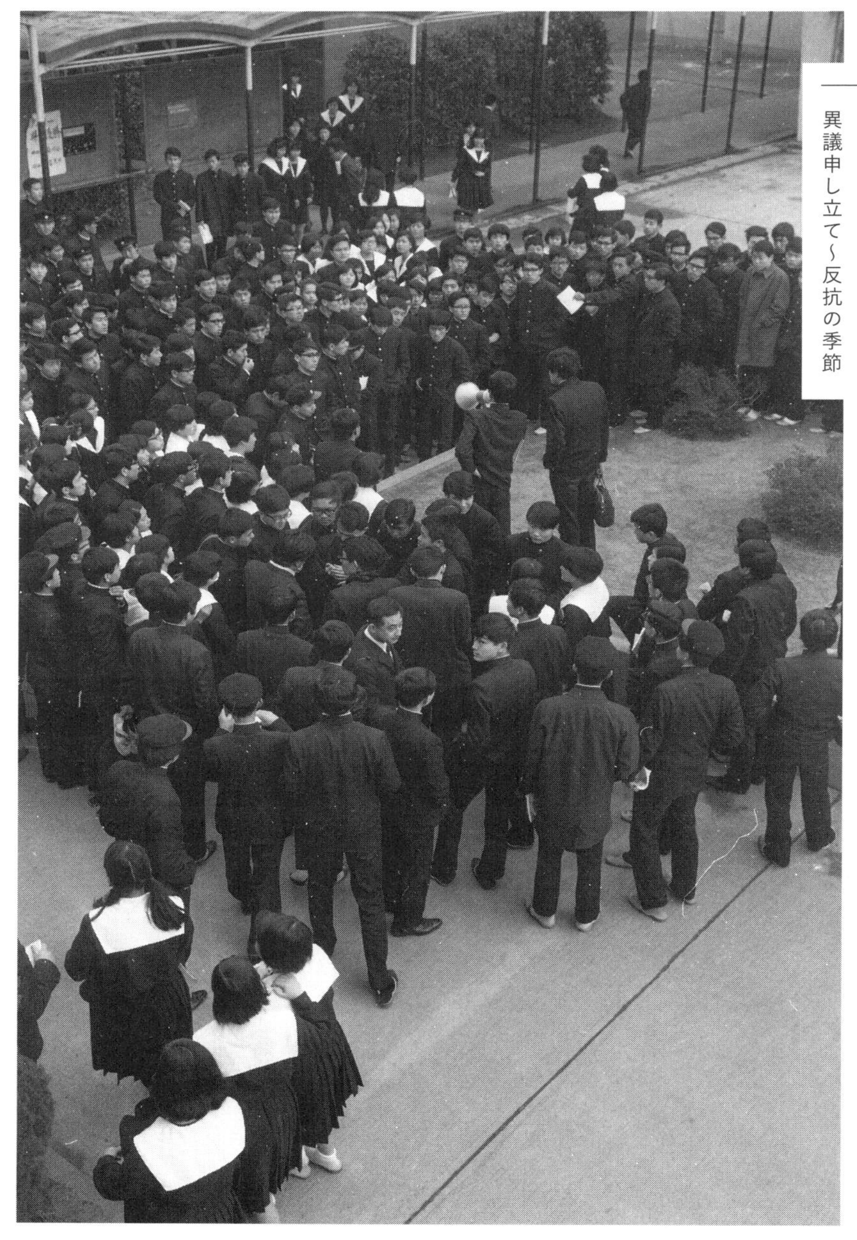

明和高校卒業式後に生徒集会　（昭和44.3.1）

大学紛争が激しくなる中、社会や教育を考える高校生も増加。同集会では「卒業式は押し付けられたもの」「答辞は学校が介入した」などをテーマに生徒たち約300人が討論した。

明和高校全校集会　(昭和44.11.24)

高校生の政治活動を制限・禁止する文部省（当時）の見解を巡って開催。全校生徒約1500人と校長ら全教員約60人が参加。生徒側が議事を進行、「政治的中立」や「高校生の基本的人権」などが討議された。

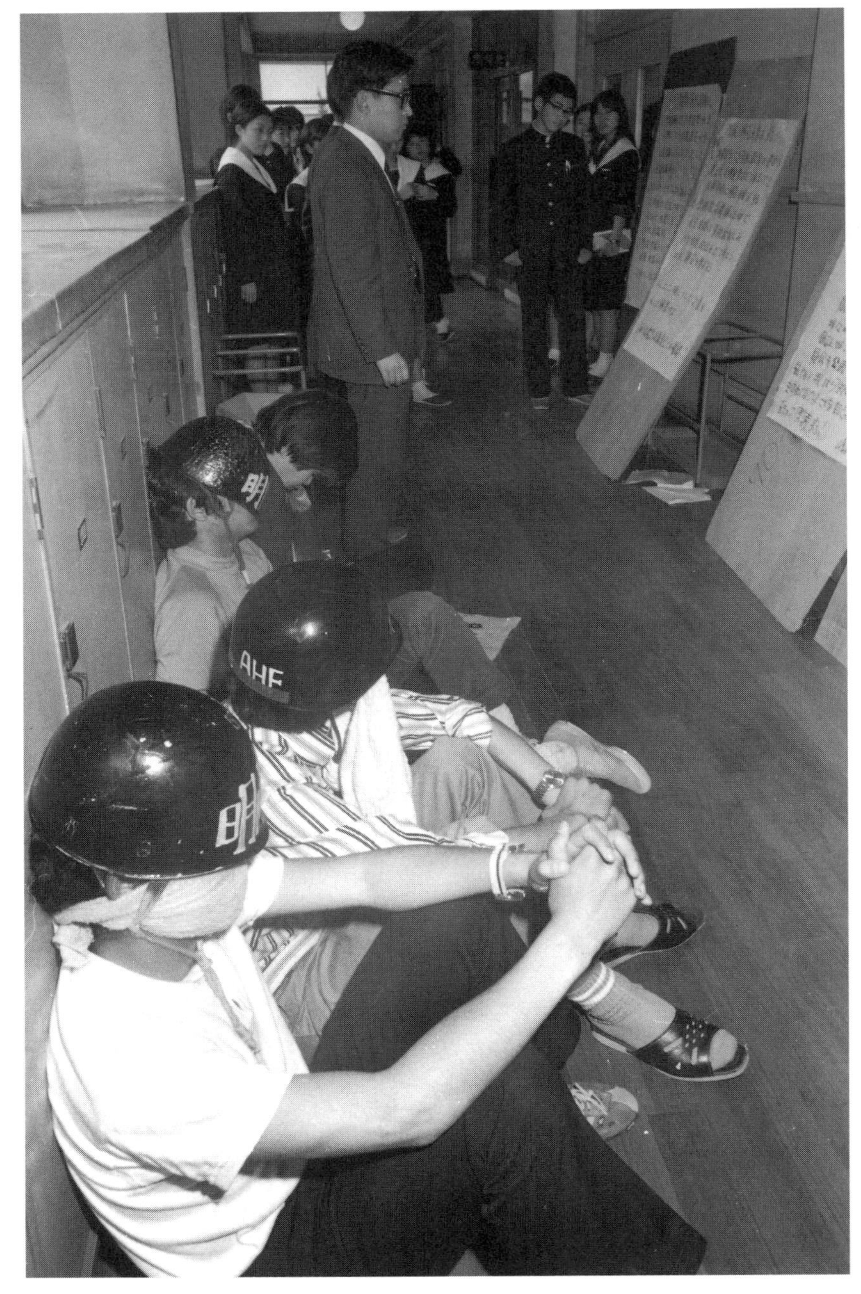

明和高校で万博反対ハンスト　（昭和45.5.26）

同年開催の大阪万博には、若者を中心に開催反対の声も挙がった。同校は6月に生徒の万博見学を計画。これに対して「万博の教育的意義が議論されぬまま学校が一方的に決めた」と生徒4人がハンストを始めた。

東海高校でスト　（昭和44.11.26）

高校生の政治活動を制限・禁止する文部省（当時）の見解を巡って、同校生徒らが学校側に大衆団交を要求して7人がハンストに突入。これを支持する生徒が集会を開いた。

反戦デモ　(昭和44.12.20)

名古屋でも、組織化された一部高校生の政治活動が次第に過激化。同日には「全愛知高校生総決起集会」が開かれ、デモが行われた。

東邦高校卒業式、荒れる　(昭和45.2.21)

卒業式を前にヘルメット姿の高校生らが一時、式場をバリケード封鎖。複数のセクトの高校生が正門前で集会やデモをして「卒業式粉砕」を叫んだ。

熱田高校でハンスト　(昭和45.2.28)

卒業式を前に「ギマン的、エセ民主的卒業式に抗議する」として生徒2人がハンスト。説得する教師と、同調する30人の生徒が激しい討論をした。同校では生徒たちが卒業式準備委員会を運営していたが3年生だけで構成されているため、「卒業式を全校生徒のものに」と不満の声が出ていた。

旭丘高校卒業式で集会　(昭和45.3.10)

卒業式の在り方を巡って延期された同校の卒業式がこの日開かれた。式前に校庭で開かれた生徒集会には500人以上が集まり、セクトの生徒がアジ演説。式は「ナンセンス」「カエレ、カエレ」の怒号が飛び交い、13分で終了した。

お願いします。五輪募金　（昭和36.11.19）

東京五輪を3年後に控え、全国で募金運動が行われた。愛知県郵政友の会の中高生も名古屋駅前などで「五輪十円募金」を呼び掛けた。

高校生が聖火ランナー　(昭和39.10.3)

東京五輪の聖火が名古屋入り。名古屋市中区の愛知県体育館前で、聖火ランナーの明和高校2年生らにトーチが託された。

上:**高校総体で民謡踊り披露** (昭和58.6.1)

同年夏に愛知県で開催の高校総体の開会式で民謡に合わせた踊りを披露する名古屋短大付属高校(現・桜花学園高校)の生徒らが、踊りで着る浴衣を縫い上げた。

下:**花でおもてなし** (昭和58.7.30)

8月1日の高校総体開幕を前に、メイン会場の瑞穂陸上競技場を花で彩ろうと、県内の農業系高校生徒たちが1年がかりで花を育成。この日、飾り付けた。

上:**高校総体開幕**　(昭和58.8.1)

高校総体は同月23日まで、25競技28種目が愛知を中心に東海4県で行われた。選手2万2000人が参加した。

下:**県内高校旗行進**　(昭和58.8.1)

開会式では高校総体で初めて、愛知県内の241校の高校旗が入場した。

上：**開会式の式典は浴衣で民謡披露**　(昭和58.8.1)

名古屋短期大学付属高校（現・桜花学園高校）と瑞穂高校（現・愛知みずほ大学瑞穂高校）、名古屋女子大学高校の計1300人が浴衣姿で民謡「大名古屋音頭」「名古屋ばやし」などを若者らしい振り付けで披露した。

下：**裏方も任せて**　(昭和58.8.4)

高校総体の記録センターは名古屋市東区の明和高校内に設けられ、92人の同校1年女子生徒が補助員として活躍した。

第1回全国高校陸上競技対校選手権大会　(昭和23.7.23)

瑞穂陸上競技場での開会式の様子。平和日本再建のシンボルとして開催された新制高校初の陸上競技の全国大会。男子239校、女子69校の約2000人が参加した。

第16回日本高校選手権水上競技大会 （昭和23.8.20）

名古屋市千種区の振甫プールで開催。150校950人のスイマーが参加した。

上:**愛知国体でプラカードを持つ女子高生**　(昭和25.9)

第5回国民体育大会愛知大会は同年9月に水泳を中心とする夏季大会、10月～11月に陸上などの秋季大会を実施。

下:**愛知国体で母校の選手を応援する金城学院高校生ら**　(昭和25.9)

名古屋市千種区の振甫プールで行われた水泳競技での一こま。

愛知国体に出場した椙山女学園高校ソフトボール部_1 （昭和25.10）

秋季大会に出場するため、名古屋市千種区の同校で練習する部員たち。

愛知国体に出場した椙山女学園高校ソフトボール部_2 (昭和25.10)

同部は当時、全国的な強豪だった。

愛知国体で優勝した愛知県立豊橋東高校バレーボール部
(昭和25.10.30)

女子高校の部で名門中村高校(東京)を倒して優勝。写真左側が豊橋東高校。

愛知国体で奮闘する旭丘高校ボート部　(昭和25.10.29)

名古屋市の中川運河で行われたボート競技に出場した同部と応援団。

愛知国体で優勝した名古屋市立向陽高校ホッケー部　(昭和25.11.1)

男子高校の部で札幌商業高校を破って優勝。

国体会場をきれいに　(昭和25.10.29)

愛知国体メイン会場の瑞穂陸上競技場で競技終了後、スタンドの観客席を掃除する名古屋女学院高校(現・名古屋女子大学高校)の生徒たち。

愛知淑徳高校軟式テニス部　上（昭和28.12.5）下（昭和31.7.24）

戦前からの名門。大正15年の全日本選手権で優勝以来、昭和3年を除き同10年まで優勝。昭和27、28年の全日本学校対抗で2連覇。

椙山女学園高校の少女剣士　(昭和33.3)

前年のインターハイで同校1年生が個人で出場し、いきなり優勝。これに刺激を受けて新たに2人が加入し同好会に。コーチと練習場も求めて、名古屋市内の名門・名電高（現・愛工大名電高校）に日参、男子相手に練習した。

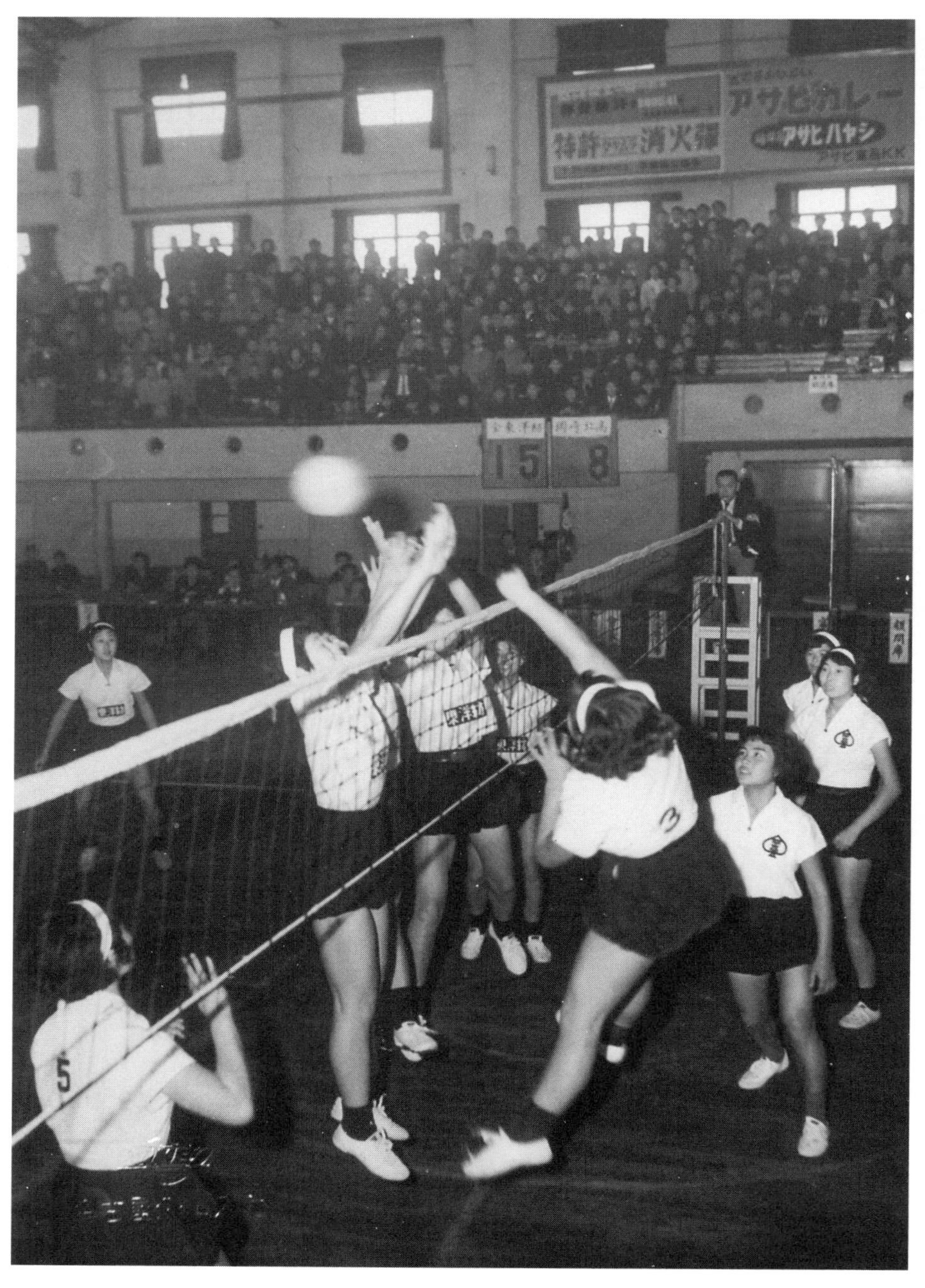

愛知県立岡崎北高校バレーボール部（昭和29.11.28）

名古屋市中区の金山体育館で行われた全日本東西対抗バレーボール大会の前座試合として、実業団チームの胸を借りる岡崎北高校（右）。

刈谷高校サッカー部　上（昭和30.10.27）下（昭和40.12.14）

三河屈指の進学校はサッカーを校技とする高校だけに、サッカー部は精鋭が集まる。昭和29年、30年は国体2連覇。全国サッカー選手権は昭和29年度、32年度準優勝、インターハイは昭和42年準優勝。今も伝統の赤ダスキ模様のユニフォームを受け継ぐ。

上:**東海高校柔道部**　(昭和30.6)

名古屋市東区の同校柔道場で練習する部員たち。全国的な強豪で、昭和33年全国高校柔道大会で団体優勝。昭和49年全国中学柔道大会で東海中学が団体戦優勝。写真当時は中高合わせて部員600人。

下:**愛知高校アイスホッケー部**　(昭和32.4)

昭和29年の国体に高校選抜チームの主力となったのを機に発足。翌年にはインターハイ4位の好成績を挙げた。

上：安城学園女子高校（現・安城学園高校）ソフトボール部　（昭和32.8）

当時は、インターハイ愛知県代表の常連。練習グラウンドがなく、近くの公園で汗を流した。

下：名古屋市立桜台高校男子ハンドボール部　（昭和32.9）

昭和23年創部。昭和26年にインターハイ初制覇。これまでにインターハイ9回、国体11回の優勝を誇る名門。写真当時はインターハイ5連覇達成。

金城学院高校硬式テニス部　上（昭和32.9）下（昭和33.3）

昭和32年のインターハイではダブルスで優勝。2組が3位になり、出場した8選手中7人が優秀選手に選ばれた。

上：**中京商業高校（現・中京大学附属中京高校）剣道部**　（昭和32.9）

昭和31年インターハイ団体優勝。写真が撮影された昭和32年はインターハイ団体3位で惜しくも連覇を逃した。

下：**中京商業高校（現・中京大学附属中京高校）相撲部**　（昭和36.10）

全国高校相撲十和田大会で昭和33年、36年に個人、団体優勝、最高得点の3賞を獲得。

上：**中京商業高校（現·中京大学附属中京高校）自転車部**　（昭和32.9）

昭和29年～昭和31年の全国高校対抗選手権で3連覇。昭和34年の全国高校道路競走中央大会で優勝。この時期、野球部とともに強豪として名をはせた。

下：**愛知県立半田高校女子ハンドボール部**　（昭和36.11）

創部7年目の昭和36年のインターハイで優勝。

上：豊橋東高校女子バレーボール部　（昭和36.11）

インターハイでは昭和26年、昭和27年、昭和31年、昭和35年、昭和41年に優勝。準優勝4回の強豪。

下：名古屋電気高校（現・愛工大名電高校）男子卓球部　（昭和32.11）

インターハイ、全国高校選抜、全日本選手権ジュニア、国体で数々の栄冠を勝ち取った王者。写真はインターハイ団体で6度目の優勝を果たしたメンバー。

上:名古屋電気高校（現・愛工大名電高校）男子フェンシング部
（昭和32.9）

下:名古屋電気工業高校（同）（昭和36.11）

インターハイなど全国優勝13回を数える強豪。

上：名古屋市立西陵高校ラグビー部　（昭和32.5）

昭和23年の学校創立と同時に創部。昭和32年の初出場以来、全国高校ラグビー大会愛知県代表の常連。全国優勝に肉薄し続け、平成8年度大会で全国制覇。

下：岡崎女子高校（現・人間環境大学附属岡崎高校）バレーボール部
（昭和45.4）

同年3月開催の全国高校選抜優勝大会で優勝。昭和48年、インターハイ準優勝。

市立西陵高校が悲願の全国制覇_1　(平成9.1.7)

上：全国高校ラグビー大会で決勝に進出し、応援のために東大阪市の花園ラグビー場に向かう同校生徒たち。
下：花園ラグビー場で応援する同校生徒たち。

市立西陵高校が悲願の全国制覇＿2

上:大阪第一代表の啓光学園を逆転で下し、優勝した同校ラグビー部（平成9.1.7）

下:名古屋市西区の同校体育館で行われた優勝祝賀会で優勝旗などを持って入場する同校ラグビー部（平成9.1.8）

愛知商業高校野球部　(昭和31.11.20)

全国高校野球中部地区大会で優勝し、名古屋タイムズ社を訪れた同校ナイン。戦前からの強豪で昭和11年の選抜大会で優勝。

建中寺で合宿する愛知商業高校野球部　（昭和32.3.12）

選抜大会出場を前に東区の同寺で合宿練習する同校ナイン。7年ぶり10回目の出場だった。

中京商業高校（現·中京大学附属中京高校）選抜優勝で凱旋
（昭和31.4.10）

令和6年春現在、春夏合わせて11回（春4回、夏7回）の優勝を誇る同校。
この年は18年ぶり2回目の選抜優勝を果たし、名古屋駅に凱旋した。

中京商業高校（現･中京大学附属中京高校）選抜優勝パレード
（昭和34.4.11）

選抜3回目の優勝を果たし凱旋。名古屋駅前の毎日新聞中部本社をオープンカーで出発。栄〜熱田神宮から昭和区の同校へ。

中京商業高校（現・中京大学附属中京高校）選抜優勝歓迎会
（昭和34.4.11）

名古屋市昭和区の同校で行われた生徒会主催歓迎会。上は校歌を歌う応援団。下は全校生徒を前に讃えられるナイン。

名古屋駅から選抜大会に向かう東邦高校ナイン（昭和35.3.27）

選抜に5回優勝。「春の東邦」といわれる。この年は2年連続10回目の出場。

名古屋電気工業高校（現·愛工大名電高校）、選抜へ　（昭和43.3.21）

名古屋駅を新幹線で出発する同校ナイン。この年は選抜初出場ながら準々決勝進出。その後、数多くのプロ野球選手を輩出した同校は平成17年の選抜大会で優勝。

愛知県立国府高校野球部　（昭和50.8.2）

この年、のちに中日入りするサブマリン・青山久人投手（写真上）を擁して強豪私学ひしめく愛知の夏を制し甲子園出場、話題を呼んだ。写真下は本番を前に豊川市の同校グラウンドで練習する野球部。

甲子園へ応援ファクス　（昭和62.8）

夏の大会中、ＮＴＴが甲子園に臨時ファクス局を設置。全国の応援メッセージを受け付けるのに伴って名鉄百貨店が専用ファクス機を開設。女子高生らが熱いメッセージを送った。

東邦高校、春を制す　（平成元.4.6）

平成最初の選抜大会を制した同校ナインが名古屋市名東区に優勝旗などを持って凱旋。同校は平成最後の選抜となった平成31年大会も優勝、話題になった。

強豪私学の一角、享栄高校

同校は甲子園19回出場（春11回、夏8回）を誇る愛知の強豪私学の一角。写真上は平成2年3月14日、選抜出場を果たし名古屋市東区の施設で行われた激励会。下は平成5年8月4日、夏の甲子園出場を決め、瑞穂区の同校で行われた壮行会。

愛知県立大府高校、甲子園へ　(平成5.2)

公立高校ながら甲子園に春夏7回出場。槙原寛己投手（巨人）ら多くのプロ野球選手を輩出。写真は大府市の同校グラウンドで練習する選手たち。この年は、槙原投手を擁して出場した昭和56年以来、2度目の選抜出場。

進学校・愛知県立豊田西高校の挑戦_1（平成10.3）

同年の選抜に出場の同校は西三河屈指の進学校。練習ではカードを使ったメンタルトレーニングを取り入れた。

進学校・愛知県立豊田西高校の挑戦＿2 （平成10.3）

豊田市の同校グラウンドで監督からアドバイスを受ける野球部員たち。

上・下:**愛知啓成高校、選抜初出場**　(平成18.2)

稲沢市で高等女学校として開学。この年は男女共学となって6年目。野球部創部5年目の快挙だった。

おわりに

平成時代が終わるころのことである。

愛知県内の高校に合格した少女が母親と入学式に出かけた。正門前には続々と新入生が集まっている。少女は新入学の女生徒たちの服装を見てドキッとした。自分は白のハイソックスを履いてきたのだが、女生徒たちはそろって紺のハイソックスではないか。

入学式で、靴下の色に規定があったわけではないが、少女と母親は焦った。近くのコンビニに飛び込み、紺のハイソックスを探した。が、ない。仕方なく男物の紺のソックスを買い、ひっぱりあげられるだけ引っ張ってすまし顔で入学式に臨んだ——。

友人が笑顔で語った、彼の娘の入学式のエピソードである。

この世界は、一人ひとりの「ささやかな人生」で成り立っている。喜びや悩みや緊張や恋や涙が、怒涛のように押し寄せる青春時代。多くの人が何らかの思い出を持っているはずだ。

本書のページをめくる読者に、それぞれの青春の一こまを思い出していただきたいと願いながら編集・執筆した。

本書のタイトルを「名古屋青春時代」ではなく、「名古屋・青春・時代」と単語の間に中黒をつけたのは、掲載した写真群から名古屋（愛知）という地域、青春の美しさ、時代の移り変わり、そのそれぞれを感じ取っていただきたかったからである。

本書は、桜山社の江草三四朗代表の勧めで編んだ。江草代表のご尽力によって名古屋タイムズアーカイブスの写真が、こうして世に出たことに感謝する。

デジタル化が進み、例えば本書に登場する合格発表風景は遠い昔のことになりつつある。時代は変わる。それでも平和である限り青春のきらめきは変わらない。

２０２４年３月　名古屋タイムズアーカイブス委員会代表　長坂英生

長坂 英生　ながさか ひでお

１９５８年、愛知県岡崎市生まれ。信州大学卒業後、１９８０年に名古屋タイムズに入社し社会部記者に。２００８年、名タイ休刊後、フリー記者・編集者、名古屋タイムズアーカイブス委員会代表。名古屋市在住。

名古屋タイムズアーカイブス委員会

終戦の翌年１９４６年5月22日に創刊した「名古屋タイムズ」は２００８年10月31日をもって休刊した。これを受けて同社社会部の長坂英生が記事、写真資料とその著作権を同社から譲り受けて、有志らと名古屋タイムズアーカイブス委員会を設立した。委員会は60余年に及ぶ膨大で、貴重な資料を管理・保存すると同時に出版や展示、メディアへの資料提供などをおこなっている。編集した主な出版物は以下の通り。

『名古屋情熱時代』（２００９年　樹林舎）
『名タイ昭和文庫①・名古屋城再建』（２０１０年　樹林舎）
『名タイ昭和文庫②・大須レトロ』（２０１０年　樹林舎）
『名タイ昭和文庫③・ぼくらの名古屋テレビ塔』（２０１０年　樹林舎）
『名古屋なつかしの商店街』（２０１４年　風媒社）
『昭和の名古屋　昭和20〜40年代』（２０１５年　光村推古書院）
『名古屋昭和の暮らし　昭和20〜40年代』（２０１６年　光村推古書院）
『なごや昭和写真帖　キネマと白球』（２０２２年　風媒社）
『写真でみる　戦後名古屋サブカルチャー史』（２０２３年　風媒社）

名古屋・青春・時代

2024年3月29日　初版第1刷　発行

著者　長坂英生
発行人　江草三四朗
発行所　桜山社
〒467-0803
名古屋市瑞穂区中山町5-9-3
Tel　052-853-5678
Fax　052-852-5105
Mail　info@sakurayamasha.com
HP　https://www.sakurayamasha.com

ブックデザイン　三矢千穂
印刷・製本　シナノパブリッシングプレス

ISBN978-4-908957-28-4　C0021

桜山社は、
今を自分らしく全力で生きている人の思いを大切にします。
その人の心根や個性があふれんばかりにたっぷりとつまり、
読者の心にぽっとひとすじの灯りがともるような本。
わくわくして笑顔が自然にこぼれるような本。
宝物のように手元に置いて、繰り返し読みたくなる本。
本を愛する人とともに、一冊の本にぎゅっと愛情をこめて、
ひとりひとりに、ていねいに届けていきます。